ADOLESCENTE CRISTAL

Como entender, acolher e apoiar as novas gerações

ADOLESCENTE CRISTAL

Como entender, acolher e apoiar as novas gerações

INGRID CAÑETE

2ª edição / Porto Alegre-RS / 2021

Capa e projeto gráfico: Marco Cena
Revisão: Sandro Andretta
Coodenação editorial: Maitê Cena
Produção Editorial: Bruna Dali e Maiara Morbene
Assessoramento Gráfico: André Luis Alt

Dados Internacionais de Catalogação na Publicação (CIP)

C221a Cañete, Ingrid
Adolescente Cristal: como entender, acolher e apoiar as novas gerações. / Ingrid Cañete. – 2. edição. Porto Alegre: BesouroLux, 2021.
232 p.; 16 x 23 cm

ISBN: 978-85-5527-034-5

1. Psicologia. 2. Adolescentes. 3. Evolução humana e humanidade. I. Título.
CDU 159.922.8

Bibliotecária responsável Kátia Rosi Possobon CRB10/1782

Rua Brito Peixoto, 224 - CEP: 91030-400
Passo D'Areia - Porto Alegre - RS
Fone: (51) 3337.5620
www.besourobox.com.br

Impresso no Brasil
Janeiro de 2021.

Sumário

Agradecimentos

Manifesto minha profunda gratidão a Deus/Amor/Vida, que me inspirou em mais esta missão. Sou um canal de propagação das informações e conhecimentos necessários para avançarmos em nossa jornada de humanos evolucionários. Sinto-me feliz e honrada em poder chegar até você, leitor. Saiba que, se este livro chegou às suas mãos, é porque seu coração, sua alma assim o desejou e atraiu.

Agradeço a todos os meus mestres, guias e entes queridos que, à luz dos registros akáshicos, me asseguraram clareza, discernimento, foco, energia e inspiração abundante durante o processo de realização desta obra.

Agradeço, de todo o coração, a Jorge, meu muito amado companheiro e parceiro de missão nesta jornada terrena.

Sou grata a Eliane Ferreira da Silva, por sua dedicação e lealdade, sempre me cuidando para que eu pudesse me concentrar somente em escrever.

Agradeço a Bianca, pela dedicada leitura dos manuscritos e por seus preciosos comentários e reflexões.

Agradeço ao amado Frei Ermínio, por toda a ajuda, apoio e incentivo para que este livro fosse concluído, e à sua equipe da Fundação Padre Pio de Porto Alegre, gratidão profunda!

Sou imensamente agradecida à maravilhosa equipe da Editora BesouroBox, por sempre acreditarem em mim e no meu trabalho e missão, conspirando os mesmos valores e visão a respeito de nossa caminhada rumo à transformação planetária.

Faço aqui um agradecimento especial a todos os leitores que enviaram e seguem me enviando seus depoimentos, compartilhando abertamente comigo suas histórias de vida e me autorizando a dividi-las com outros leitores, para que assim pudessem contribuir e ajudar a muitas outras pessoas, da mesma forma que se sentiram ajudados pela leitura de meus livros anteriores. Vocês todos estão muito presentes nestas páginas e constituem a alma e as altas vibrações que desejamos transmitir à humanidade evolucionária. Gratidão a todos pelo espírito de cooperação, pelo amor e por estarem cocriando junto comigo uma nova realidade. Como sempre digo, vamos em frente, estamos mudando o mundo!

Ingrid

Prefácio

Thiago Berto

Meus companheiros de experiência terrena, deixem cintilar essa pergunta na profundidade de seu íntimo: "o que minha alma anseia expressar através de minha existência?"

Desde meus 6 aninhos, me perguntava algo parecido com isso. Talvez não tão poético, mas certamente com o mesmo sentido e objetivo: manter-me conectado, atento e lembrando do que vim fazer aqui, neste plano, nesta vida.

Foi-me permitido não esquecer dessa pergunta nunca. E na adolescência eu não me desprendi dessa intuição. Ela ficou sempre ressoando em mim, e então não fez sentido cumprir o script. Sabia não ter vindo para seguir uma carreira e "contribuir com minha parte para nosso belo quadro social".

As pressões da sociedade são grandes, mas sabem? Eu mesmo era o grande carrasco de meus sentimentos mais genuínos e verdadeiros. Por muitos anos me culpei por não conseguir seguir a autoridade imposta, a rotina de estudos, por ter vontade de dar minhas coisas aos outros. Eu me achava errado, inadequado e, em algum momento de minha juventude, conheci a Ingrid. Li seu primeiro livro *Crianças Índigo* e foi um dia especial e iluminado em minha vida. Só podia chorar de alívio e alegria. A Ingrid foi um anjo em minha vida que me mostrou um caminho de compreensão de mim mesmo, e saber que seus monstros podem ser seus maiores tesouros é um primeiro passo lindo de nossos caminhos como guerreiros de luz. Adolescentes e jovens que tenham sentido esse afago de si mesmos são a força, a energia da sociedade para o passo adiante, para a mudança.

Em meus encontros e palestras sempre deixo uma cadeira vazia e digo ao público que essa é a cadeira de nosso amigo E.T. – um ser muito, muito especial, que veio de longe acompanhar-nos naquele momento. De tempos em tempos, recorro à lembrança da presença de nosso "amigo" e pergunto ao público: "o que o E.T deve entender de temas como economia, bolsa de valores, câmbio, pedagogia, universidade, política?" Ele não entende essas coisas, esses nomes, esses termos.

Enquanto somos crianças, somos como nosso amigo E.T, estamos conectados com o que importa, com a essência, com o divino, com a nossa casa. Essas coisas do mundo não ressoam. Ainda vemos tudo colorido, sonhamos em "ajudar o mundo", sermos astronautas, cientistas, podemos tudo! Somos pequenos Budas, Da Vincis, seguros e cientes de nossa potencialidade e, de alguma maneira mágica, somos conscientes da razão de estarmos por aqui.

Sinto a adolescência como uma fase de profunda nostalgia. É quando a saudade chega. A saudade de quem realmente somos. O adolescente sabe quem é, quem foi e passa a sentir saudades de si mesmo. Seus olhos já passam a filtrar as cores e o mundo parece ter oscilações de tom em cinza, às vezes preto e branco. Chegam a nós imposições, temos que lidar com essa saudade de casa e de nós mesmos, e ao mesmo tempo ver um mar de incoerências e futilidades do mundo que desaguam no porto de nosso dia a dia. Não dá pra sonhar, afinal, há tanta coisa "séria" por fazer, tantos novos compromissos, e esse ideal que nos tatuam na mente de "ser algo", de vencer, de conquistar, de armazenar e de preparar-se para uma velhice segura . E tudo parece não fazer sentido algum.

Então, com amor lhes digo: Amigos, fiquem! Estejam aqui, neste lugar onde sentem que há um novo mundo a ser proposto, onde é normal sermos geniais, mágicos, incríveis! Tragam os adultos de volta! Sejam esse elo de cura entre adultos que já se adaptaram à sociedade que está insana e doente, e a divindade e sabedoria das crianças. Precisamos da energia, da força de vocês. Não se convençam de que somos medíocres, de que estamos aqui por pouco, de que há de vencer na vida, de que existe apenas a única e absoluta porta dos cursinhos e vestibulares, de que o sucesso que te permitirá comprar de tudo, te dará 1% de felicidade. Não, não é verdade, Há algo além! E você sente!

Eis aqui um irmão, um guerreiro como vocês que os abraça em palavras, que deseja dizer aos seus corações: estamos juntos!

Há um plano a seguir: fazer da Terra um lugar mágico, maravilhoso, permiti-la sorrir. Sim, a Terra. Imagine que ela quer sorrir, que ela tem seus sonhos, seus planos. Ela é um ser! Esse é o plano maior, o sentido que nos une. Tornar esse grãozinho de areia que vaga no espaço um lugar cada vez mais iluminado, mais consciente em si mesmo de sua própria presença no universo.

Você não está aqui por acaso. Nós não estamos.

Ingrid, amiga, irmã, desde meu coração sinto profunda gratidão e honra pelo teu trabalho e presença em meu caminho. Como ouvia das crianças em Moçambique, em seu dialeto tribal: “Profe Thiago, Tire Tesse!” – estamos juntos!

Ingrid e leitores... Tire Tesse!

Introdução

ONDAS
Ondas
Murmúrios
de um mundo invisível
são sopros
nascidos
da tua dor.

Ondas imensas
profundas e densas
saltam aos olhos
de quem te tem
amor.
Ondas...

Nunca pensei que seria tão difícil escrever sobre a adolescência! Paradas, hesitações, reflexões... Eu me dou conta de que estou revivendo a minha própria adolescência. Eis um processo árduo que dói e nos desconstrói de forma constante e incessante... No entanto, não há como apoiar sem entender e não se pode entender sem reviver, sem recordar as próprias experiências. Recordar significa voltar a passar pelo coração. Evidente está que não há como reviver, recordar sem voltar a sentir. Haja coragem e determinação para se dispor, de peito aberto, a sentir tudo, desde as alegrias mais singelas até as dores mais lancinantes.

Adolescer vem do latim e significa crescer, entrar na adolescência, etapa do desenvolvimento onde não somos adultos para fazer certas coisas, mas também não somos mais crianças e, portanto, podemos ser repreendidos caso nos comportemos como crianças.

Por que será?!

A criança interna guarda nossa essência! Contém a chave mestra para encontrarmos o caminho de nossa missão e de nosso propósito aqui na terra.

Ela é mãe e madrinha de todos os nossos sonhos! Sonhos alimentam a alma!

Manter a criança interna viva, dar espaço a ela seguidamente é condição para não sucumbirmos e nos tornarmos estátuas, robôs, matrix. A criança guarda com ela o nosso maior tesouro, a fórmula do graal:

A criatividade aliada à espontaneidade, com o tempero da imaginação e a fluidez do amor maior através de um coração aberto e puro. Então, por que será que nessa idade de 12, 13 anos, o mundo adulto deseja tanto que a gente se transforme, de repente, em algo que não seja mais criança?!

Eis que esse deveria ser um tema para muitos estudos novos e também novos olhares mais cuidadosos, amorosos e generosos, eu diria até compassivos, de nossos pais, de nossos professores, dos terapeutas, dos adultos em geral. Afinal, parece loucura que hoje abundem livros e técnicas que apregoam ser capazes de ajudar a resgatar a sua, a nossa criança interior.

Dá para entender esse mundo dos adultos?

Adultos que, aliás, brincam de boneca, de trenzinho, de fazer coleções de objetos e até de pessoas (!), de jogar *videogames*, de fazer racha, de se drogar de diversas maneiras, de ter um bar ou "altar de bebidas" em casa (!), de se esquecer, inclusive, que têm filhos, que são responsáveis por esses filhos, brincam de esquecer que já foram crianças e adolescentes...

Pois é, o mundo aqui da Terra é difícil mesmo.

Mas temos que enfrentar. E uma coisa é certa, nossa criança interna é fundamental para obtermos êxito, que, nesse caso, nada tem a ver com ficar rico, nem com usar roupas de grife, nem andar de carrão, nem mesmo beber as bebidas e usar as drogas do momento.

O êxito ao qual nos referimos e nos referiremos sempre, neste livro e na vida, significa alcançar o autoconhecimento e a consciência de quem somos nós, por que nascemos, para que estamos aqui, para onde estamos indo e, principalmente, quais são os nossos dons e talentos, e de que forma podemos dedicar ativamente esses talentos ao bem de nossos semelhantes – só assim estaremos realizando nosso propósito e missão de vida. E somente assim estaremos realmente encontrando sentido em cada dia e em cada passo de nosso caminhar por aqui. Tenha certeza, seja você adulto ou adolescente, que somente assim podemos pretender viver com real felicidade, sem ilusões, sem fantasmas, apenas vivendo o momento presente com total consciência, dedicação e foco.

Sem a sua criança interna viva, livre e ativa, tenha certeza de uma coisa, caro leitor: você vai se perder, se confundir, sofrer e adoecer.

Manter a criança interna viva, em todas as idades, não significa ser imaturo e infantil, e sim manter vivas dentro de nós, para sempre, a pureza de alma, a generosidade, a transparência, a criatividade, a espontaneidade, a disposição permanente para brincar e se divertir mesmo nas situações mais adversas, a capacidade de estar inteiramente entregue ao momento presente, vivendo o agora, encontrando a graça e a leveza que sempre existirão em cada situação da vida.

Então, vejamos, se tirarmos apenas duas letras, o "l" e o "s", da palavra adolescer, ficaremos com a palavra adoecer. **E o que adoecer tem a ver com adolescer?!** Do ponto de vista de nossa sociedade atual, gravemente enferma, tem tudo a ver! Acompanhem o raciocínio...

A adolescência é a fase do desenvolvimento humano em que somos forçados a tirar as vestes de criança e enfrentar as mudanças hormonais que rapidamente transformam nosso corpo físico e nos fazem sentir muito estranhos! É algo bizarro a gente sentir que está num corpo que não parece mais ser o nosso. É como se tivéssemos passado por uma cirurgia e tivessem instalado nossa cabeça em um corpo completamente diferente. Nós nos sentimos desencaixados e sem saber como lidar com isso. É que as mudanças na mente não acontecem no mesmo ritmo e esse descompasso se evidencia quando os jovens se comportam de um jeito infantil, desafiando os adultos, que também não sabem como agir.

Os adolescentes representam o ser humano que busca uma nova identidade "para chamar de sua". A caminhada em direção a essa identidade é longa, sofrida, solitária, repleta de dúvidas, ansiedade e confusão. Fazem parte desse caminho oscilações de humor que vão da alegria tipo euforia até a tristeza e a depressão, luto diante da infância perdida, atos antissociais praticados quase sempre em grupo, necessidade do grupo como um modo de afirmar-se, comportamentos rebeldes e de contestação diante de qualquer autoridade e de pessoas e instituições que representem o controle. A solidão e o isolamento são comuns entre os adolescentes. É a solidão como um estado de ânimo de quem não sabe quem é, nem por que está aqui. Alguém que se sente tão estranho e diferente que projeta para fora esse estranhamento e percebe como se todos ao redor o estivessem olhando como um extraterreste.

Eu me sinto "desencaixada" e sufocada pelo mundo exterior. Com 15 anos, fiz a tatuagem de uma fada nas minhas costas, ela está sentada no chão, sobre os joelhos, e com as asas abertas, olhando a lua e as estrelas. Representava a mim mesma, as várias vezes que já me pendurei na janela sozinha à noite olhando o céu e sentindo saudade de alguma coisa que eu não sabia dizer o que era, uma certa nostalgia, uma inquietude e um sentimento que não sei o nome, em busca de algo mais.

Juliana

O estranhamento é tanto que parece que ninguém está disposto a ouvi-lo e que mais difícil ainda será alguém entender o que está acontecendo. Nessa fase da vida, a autoestima costuma estar em baixa e o jovem tem a impressão de que ninguém quer estar com ele, de que não merece crédito nem valorização. Daí entra o isolamento como um mecanismo de defesa, que o leva a criar um mundo somente seu, onde nada nem ninguém o encontrará, um planeta onde estará protegido como num casulo, esperando a "noite escura" passar. Lembro-me bem daquela linda música do Guilherme Arantes, *Meu mundo e nada mais*, que é perfeita para traduzir esse período de nossa vida. Quem não conhece, vale a pena ir atrás e escutar, de preferência num cantinho só seu, para curtir mais e melhor.

Voltando à questão do adolescer e do adoecer, a relação existente é que, numa sociedade que expurga os diferentes e os trata como doentes que devem ser afastados do convívio e mantidos sob algum tipo de controle, o adolescente, com todas essas transformações em curso e parecendo um E.T. (extraterrestre), é literalmente excluído das mais altas rodas e, em muitos casos, de todas as rodas. Não há lugar para "se adolescer em paz" neste mundo! Eis o que se observa na prática.

Diante desses adolescentes que não têm mais a doçura, a ingenuidade e a subordinação das crianças e que mais parecem estranhos rebeldes com força física, ideias próprias e muita disposição para o enfrentamento e para mudar o mundo, os adultos simplesmente recuam apavorados! Adultos apavorados entram numa paranoia e, com medo de seus próprios rebentos (!), passam a rotulá-los das mais terríveis e absurdas patologias, buscando um medicamento para estancar o mal. E, claro, se afastam cada vez mais de seus filhos, alunos...

O adolescente é visto e tratado como um doente, às vezes como um louco, e também pode ser rotulado com diferentes etiquetas, tipo hiperativo, DDA (distúrbio de déficit de atenção), bipolar, autista, depressivo etc. É que a nossa maluca sociedade adora etiquetar e engavetar, enjaular, enquadrar, para depois medicar, ou seria melhor dizer: domesticar, adestrar, controlar?

Afinal, para que ouvir, escutar de verdade?! Para que perder tempo com esses *aborrescentes* chatos e preguiçosos, esses irresponsáveis e inconsequentes? É melhor e mais fácil drogar essa gurizada até que a loucura dessa fase passe, vá embora de vez!

O medo dos adultos diante de seus rebentos é baseado nos próprios medos e fantasias em relação a si mesmos. Medos nunca falados nem resolvidos na infância e na adolescência e que agora voltam como fantasmas a lhes assombrar, cada vez que olham nos olhos de seus filhos adolescentes. Trata-se do medo dos adultos de ter de lidar com os próprios medos que os filhos adolescentes refletem de forma potencializada. Afinal, como sempre digo aos pais, tudo que não foi bem resolvido e encaminhado na infância, seja na própria infância ou na do filho, volta com força redobrada na adolescência. E o preço cobrado será tanto mais alto quanto mais os adultos insistirem em não ver, em não ouvir, em não entender e, por fim, em não acolher os adolescentes. Há um medo velado entre os pais relacionado à "perda" de seu filho para o mundo. O medo de um desprendimento crescente de seu rebento que está cada vez menos criança e caminha na direção de uma vida independente. Para os pais, reconhecer isso e assumir que, como consequência, estão ficando menos jovens e mais maduros é algo difícil e faz parte das perdas que eles sentem e sofrem, muitos sem ter consciência alguma.

É comum vermos pais de filhos já adultos e jovens chamando-os de "as crianças", mecanismo que explicita a dificuldade em deixar que os filhos cresçam e aceitar a passagem do tempo, bem como as perdas necessárias durante esse processo.

Os adultos precisarão estar dispostos a voltar e reviver a própria adolescência, a fim de se capacitarem a suportar o desafio da adolescência dos filhos, alunos, netos, colaboradores... Aceitar as perdas, o afastamento dos filhos e as mudanças será fundamental para abrir espaço para os prazeres e alegrias que essa relação poderá trazer no convívio diário. Se os pais se dispuserem, essa fase da vida dos filhos será uma preciosa oportunidade de recriar a si mesmos e de se renovar, assim como de criar uma nova e mais rica relação com os filhos. Para isso, é fundamental garantir um espaço de liberdade e respeito, regado com amor e alegria, para se exercitarem as diferenças e se estabelecerem sempre novos parâmetros, referenciais e limites de acordo com cada idade e com a maturidade correspondente.

Afinal, se a adolescência é difícil e desafiadora para pais e filhos, é também, ao mesmo tempo, a etapa mais arrebatadora e surpreendente de nossa existência. Tal como um caleidoscópio, vemos eclodir, diariamente, um novo ser humano, multifacetado e multicolorido, além de multissensorial. Esse ser que caminha como uma metamorfose ambulante, bem à nossa frente, é uma belíssima borboleta em seu momento "lagarta no casulo". Nada pode ser apressado nessa caminhada, sob pena de matarmos todo o seu potencial para voar com asas de beleza única.

Trata-se de um processo de construção doído e angustiante, em que os adultos são desafiados e convidados a participar como facilitadores/apoiadores e, ao mesmo tempo, agentes da própria evolução e amadurecimento. **A *adolescência* pode ser traduzida como um encontro culminante entre o caos, a criatividade pura e o sagrado.** É uma fase do desenvolvimento iluminada e perfumada com a luz e os aromas de uma semente se preparando para explodir, em cores e formas, todos os seus talentos e dons. É nessa etapa que temos mais viva a vibração e mais forte a noção de nosso propósito de vida. É lá que residem nossos sonhos mais preciosos, sonhos esses que, se forem acolhidos, estimulados e adequadamente alimentados, nos manterão conectados à Fonte e serão a garantia de estarmos realizando nossa missão aqui na Terra. Mais do que isso, tal acolhimento nos conduzirá a uma vida plena, saudável e feliz, já que será repleta de sentido e de significado.

Nosso propósito ao escrever este livro é contribuir para suprir uma lacuna e uma imensa dívida de nossa sociedade para com os jovens adolescentes de todas as épocas. Muito especialmente, desejamos honrar e apoiar os jovens dessa geração, também chamados Índigo-Cristal ou Milênio-Y, já que aceitaram o desafio de vir numa época de transição entre duas Eras, a qual pode muito bem ser traduzida como "o olho do furacão". Desejamos que este seja um livro-tributo aos jovens adolescentes que se aventuraram ao "descer aqui na Terra" numa época caracterizada pela energia do tipo "organização e caos". ***Vocês são guerreiros corajosos e agentes das potentes mudanças que o mundo necessita para dar um salto evolutivo!***

Desde já, eu os convoco e provoco a não se deixarem levar pela tensão e pressões, especialmente de grupos que só desejam desviá-los de sua verdadeira e fundamental missão, aqui e agora! As drogas podem até aliviar certa dor e tensão momentânea, mas tenham a certeza de que o estrago que elas fazem a médio e longo prazo, na energia, nos dons incríveis e no poder que vocês têm para transformar, para o Bem e para curar, é muitas vezes irreversível!

Quando falo em drogas, não me refiro apenas àquelas que se ingere, cheira ou injeta, incluo aqui, também, entre as piores e mais devastadoras, a propaganda e o *marketing* deslavado e manipulador, os jogos mortais de *videogames* e assemelhados, o apelo sinistro do consumo exagerado de objetos/produtos frios e desnecessários e de alimentos que são, na verdade, venenos disfarçados em frascos multicoloridos, a ideia de *status* e poder baseada na competição e em símbolos vazios, os ambientes com aglomeração de gente onde faltam o ar puro e a oxigenação da mente e abundam as músicas de baixíssima qualidade que são, na verdade, batidas frenéticas hipnotizadoras incitadas pelos seres da sombra que lutam insistentemente para levar vocês, jovens de tanta luz, para trabalhar pelas sombras ou para desistir, o que daria no mesmo.

Convoco todos vocês, a Legião dos jovens adolescentes conscientes e lúcidos, a assumir de uma vez por todas o poder que trouxeram para esta vida através de uma alta energia e de elevada espiritualidade, além de dons fantásticos. **Lembrem-se: vocês escolheram nascer aqui e nesta época!** Vocês trouxeram esses dons e o poder para aplicá-los pelo Bem Maior, ajudando a promover uma nova ordem, baseada em vibrações da quarta e da quinta dimensões, que instale o amor incondicional, a paz, a união e a fraternidade aqui na Terra! Para isso, saibam que é necessário passar pelo caos generalizado que estamos vivenciando e assistindo, na família, na sociedade, nos governos e em muitos cantos do planeta. Porque a ordem aparente, que antes reinava sobre cinzas e ruínas de injustiça, repressão, violência e dor, não poderia mais se manter. Para a mudança acontecer, é necessário que tudo que estava sob a mesa venha à tona, apareça, cheire mal e incomode muito! Somente assim, tendo que nos olhar como humanidade, no grande Espelho da Vida, é que teremos a oportunidade derradeira de despertar e escolher entre mudar ou desistir. ***Amados e destemidos jovens, escolham a consciência, o amor, a paz e a Luz como suas bandeiras e instrumentos de transformação.*** Vocês são muito poderosos, atuem para o Bem, pois foi para isso que vocês escolheram vir.

Lembrem-se de quem vocês são: Guerreiros da Luz!

Escutem, com o coração e todos os sentidos bem abertos, aquela música do Michael Jackson, a que ele mais amava, chamada *Man in the mirror* (Homem no espelho). Tenho certeza de que ela irá inspirá-los, e muito, nesta fase da vida de vocês e também ao longo do caminho da existência aqui na Terra.

Sentimos, há muito tempo, a dor e o sofrimento das crianças e dos adolescentes por estarem vivendo em um mundo que ainda carece muito da sensibilidade, do entendimento, do amor e do acolhimento para com eles. Nossa sociedade humana, que parece ter atingido o ápice da desumanização, penaliza com mais fúria justamente aqueles que têm nas mãos a possibilidade de nos ajudar a criar um futuro melhor e mais iluminado: as crianças e os adolescentes. Tem uma música da banda mexicana Maná que se chama *Donde jugarón los niños?* (Onde brincarão as crianças?) que faz alusão a um mundo que está sendo destruído pela espécie humana. Eu pergunto também, e com veemência: Onde vão brincar, se divertir e alimentar seus sonhos, onde vão processar suas dúvidas e elaborar suas perdas e luto, onde irão namorar e buscar diversão e entretenimento os nossos jovens?

Pense bem, onde é que os pré-adolescentes e os adolescentes podem ir com tranquilidade e segurança viver a sua fase, o seu processo de adolescer? Que lugares são pensados e feitos especificamente para eles?

Nossa sociedade está visivelmente despreparada para receber e tratar com o devido respeito as novas gerações, que são, sem dúvida, verdadeiros tesouros, cristais e diamantes a nós ofertados pela Companhia do Céu e pelo Plano Divino.

Desejamos que este livro seja para vocês, amados adolescentes, uma homenagem, um tributo e também uma inspiração, para que se mantenham firmes e determinados a ser quem vocês realmente são, descobrindo seus verdadeiros potenciais e transformando-os em dons, aplicando-os de forma prática pelo Bem Maior de seus semelhantes. ***Dediquem-se e nunca desistam, porque só fazemos bem aquilo a que nos dedicamos, diariamente, com humildade, muito amor e determinação, disciplina e conexão com a Fonte Maior, Deus.***

Desejamos, de todo o coração, que este livro seja uma fonte de informação, de esclarecimento e, principalmente, de inspiração a todos os adultos, para que passem a olhar os adolescentes com outros olhos, a admirá-los sem medo e com a expectativa de quem se prepara para assistir a um grande e emocionante espetáculo, qual seja, o momento da "revelação", em que o jovem, após longos e exaustivos ensaios e experimentações, finalmente decide dar o seu salto para a maturidade e mergulha no universo das infinitas possibilidades com toda a vitalidade, força e coragem típicas dessa fase.

Faz bem lembrar, aqui, um belíssimo filme que trata desse tema e que é simplesmente encantador e inspirador, chama-se *Billy Elliot*. É a história de um menino órfão de mãe e com um pai bastante rude e machista, vivendo numa pequena cidade do interior e que, de repente, se apaixona pelo balé e enfrenta os desafios do preconceito para estudar numa aula só de meninas, tendo de se esconder do pai, que nem imagina o que o filho está "aprontando". Billy sente um chamado irresistível, que vem lá do fundo da alma e que é mais forte do que ele. Então, decide dar voos mais altos, com a ajuda da professora de balé, que reconhece todo o seu talento. O final da história eu não vou contar, para não tirar a graça de quem for assistir.

Finalmente, pretendo que este livro seja uma espécie de ponte ou passaporte para os adultos e para os adolescentes, a fim de possibilitar seu acesso a um novo estágio de evolução e de convivência, saindo do "*modus operandi*: sobrevivência" baseado apenas na realidade 3D (terceira dimensão) e saltando de uma vez por todas para a 4D (quarta dimensão) ou, quem sabe, direto para a 5D (quinta dimensão)!

Este não é um livro didático sobre a adolescência, também não se trata de um livro teórico, conceitual, tampouco de um manual ou algo do gênero. Nosso intuito é que seja um pouco de tudo isso, mas, principalmente, que transcenda todos esses modelos e alcance a forma transdisciplinar do "Terceiro Incluído", sobre a qual só podemos afirmar que algo novo e desconhecido surgirá, no final deste processo de escrever e, quiçá, de ler.

Intencionamos, profundamente e com todo o amor que cabe em nosso coração, que esse "novo e desconhecido", que Basarab Nicolescu denomina de "Terceiro Incluído", venha a ser o fim e o começo de algo muito além e mais próximo da Unidade que somos todos nós.

Fiquem com o que disse Jorge Balbi, um ser muito especial, escritor e jornalista argentino, autor de um livro sensacional, chamado *Transurgencia, de cristal a crisol*:

Nossa alma é mais forte do que todas essas etiquetas, do que todas essas camisetas. E, como toda camiseta, terminaremos por gastá-las e desprezá-las. E sermos nós mesmos.

Capítulo 1
O mundo

Esta revolução é uma profunda crise espiritual do mundo inteiro, *manifestada vastamente com desespero, cinismo, violência, conflito, autocontradição, ambivalência, temor e esperança, dúvida e crença, criação e destrutividade, progresso e regressão, apego obssessivo a imagens, ídolos,* slogans, *programas que embotam a angústia geral só por um momento, até que explode e se espalha por onde queira, de um modo mais agudo e terrorífico.*

Thomas Merton

É em meio a esse mundo assustador, tenso, polarizado e terrorífico que desejamos lançar um novo olhar, estender uma mão, abrir o coração e os braços para acolher as novas gerações, crianças e jovens. Queremos ajudar os pais, os professores, os adultos em geral a olhar com outros olhos e aprender sobre eles e com eles transformar esse mundo em um lugar muito mais evoluído, humano, fraterno, pacífico e iluminado para vivermos. Para isso, é essencial que façamos o exercício de pensar diferente sobre quem somos e sobre quem são as novas crianças e os novos adolescentes que nos visitam aqui na Terra. Precisamos urgentemente abrir todos os nossos sentidos, nosso coração e, aí sim, alcançar um novo olhar que possibilite estabelecer e manter uma conexão permanente e suficientemente forte, profunda, com eles. Somente assim criaremos as condições básicas para que nós, adultos, em união e cooperação com as novas gerações, possamos abrir um caminho novo. Esse caminho será trilhado lado a lado, com a finalidade de ajudarmos nossos jovens a vivenciar cada etapa, cada desafio de sua transição entre a infância e a adolescência, entre essa e a vida adulta, em experiências altamente transformadoras do seu ser. De modo que sejamos, junto com eles, coautores de uma caminhada feliz de construção e edificação de sua personalidade, de seu caráter e de sua identidade, onde todos nos transformemos gradualmente em quem realmente somos, com leveza e com graça.

Cristalecer refere-se a esse processo de transição e de transformação pelo qual passamos todos nós, a humanidade, neste momento histórico. Estamos sendo impulsionados e ativados em nossas mentes e DNA pelas crianças e jovens. Primeiro foram os Índigos, que começaram a chegar em massa desde a década de 1970, ancorando, ou melhor, sustentando a vibração Índigo aqui e nos capacitando a despertar nossas consciências e a ser como eles: "rompedores de sistemas". Esse movimento foi necessário para romper com paradigmas e padrões de pensamentos e comportamentos obsoletos e incompatíveis com as próximas etapas de nossa evolução. Não teria sido possível derrubar o muro de Berlin, realizar a Perestroika ou mesmo criar a internet e as redes sociais sem a presença maciça da geração Índigo. Eles abriram caminho e prepararam as condições na Terra para que o próximo grupo evolutivo, os Cristais, pudesse descer e conseguir ficar entre nós, ancorando, então, as vibrações cristalinas ainda mais sutis do que as vibrações Índigo. Em meio a todas essas transformações, todos nós, adultos de diferentes idades, conscientes ou não do que vinha ocorrendo, fomos e estamos sendo afetados por essas vibrações e pelos pacotes de informações que essas crianças e jovens nos transferem de forma quântica, simplesmente estando entre nós. Considerando que somos energia materializada e densificada sob a forma de corpos físicos, nossa energia vibra e se propaga em ondas e atinge a tudo e a todos com quem temos relações e contato direto ou indireto, ou mesmo a todos que nem conhecemos e que se encontram do outro lado do planeta. Assim, os pensamentos, emoções, sentimentos e informações que acumulamos em nossa consciência vibram num certo padrão e se propagam, sendo captados pelos outros seres sem que palavras sejam necessárias. Possuímos uma antena "parabólica" muito potente, chamada glândula pineal, que é feita de substância cristalina, a qual nos permite essa forma de comunicação e outras mais avançadas, como a telepatia (comunicação de mente para mente), a transcomunicação (comunicação com seres que já morreram, fisicamente falando) e a comunicação interdimensional (comunicação com outras dimensões e com os seres e entidades conscientes pertencentes a tais dimensões). Essa antena, que todos nós, humanos, possuímos, está localizada na altura de nosso terceiro olho, no centro, entre nossas sobrancelhas e adentrando um pouco na direção do centro do cérebro. É uma região que pode ser desenvolvida e literalmente expandida, à medida que exercitamos nossa espiritualidade através de práticas como a meditação, a oração, a contemplação da natureza, o amor incondicional. As crianças e os jovens das novas gerações já trazem essa antena, digamos, mais desenvolvida e expandida, assim como os hemisférios direito e esquerdo de seu cérebro unificados, o que lhes capacita a olhar e perceber tudo, naturalmente, de forma holística, sistêmica. Assim, eles pensam sempre no todo, preocupam-se com o nós, com a totalidade da humanidade, do planeta, do Cosmos. Eles funcionam, pensam, percebem e se organizam em redes.

Esse funcionamento em redes, aliás, caracteriza o despertar da consciência planetária. Conforme Ernesto van Peborgh, autor do livro *Redes*, a dinâmica e a linguagem da internet operam de maneira conjunta, reconfigurando as maneiras pelas quais os seres humanos conhecem seus pares, atuam e se comunicam dentro da sociedade. Ambas modificam o modo como o ser humano organiza e se relaciona com o meio em que vive, ao ponto de alcançar o potencial necessário para produzir um novo salto de consciência na humanidade.

Esse salto (quântico) já está sendo dado e nós todos fazemos parte dele, liderados e guiados pelas novas gerações. Os Índigos, que nasceram, em sua maioria, nas décadas de 1970 e 1980, atualmente sustentam as redes e as vibrações, permitindo que as vibrações cristalinas sejam espargidas e irradiadas para todos nós. Os próprios Índigos estão sendo atingidos e se tornando seres de vibração cristalina, inclusive muitos de vocês, que já são adultos e maduros, estão vivendo a chamada "Transição de Índigo para Cristal", enquanto novos grupos evolutivos seguirão chegando, já que o processo evolutivo é dinâmico e contínuo.

Cristalecer é um termo que "criamos" e utilizamos aqui para nos referir ao processo de adolescer, ou seja, tornar-se adolescente e, ao mesmo tempo, elevar as vibrações de Índigo a Cristal. Quanto às crianças e jovens que já são de vibração Cristal, também cabem nesse movimento, pois estão passando pela experiência de se transformar em adolescentes sob a "influência" de tal vibração.

A verdadeira educação reforça a capacidade de continuar a dar sentido à vida, à medida que ela se desenvolve.

Jerry Fletcher

Pretendemos, nas próximas páginas, ajudar vocês, pais e adultos, e vocês, queridos jovens, a perceberem que, embora o mundo esteja passando por um período caótico e de transição, e a adolescência seja o período mais difícil e crítico de toda a nossa caminhada existencial, existe escolha para todos nós. É possível, diante de cada um e de todos os desafios, escolher de que forma vamos querer enfrentar cada dia, cada etapa, cada mudança. Podemos escolher nosso próprio modo de viver cada dia e cada fase de nossa adolescência e juventude. Podemos escolher alcançar e sustentar um estado interno de felicidade plena (estado de espírito) que não se modifique e se mantenha independente das condições ao redor. Podemos, inclusive, ao nos manter centrados, felizes e serenos internamente, contagiar e modificar os ambientes e seres que nos rodeiam. Eis o nosso poder, a nossa fagulha divina, a magia da vida que se encontra DENTRO de cada um de nós e não fora, como muitos foram educados e catequizados a pensar e acreditar. Acredite, você pode escolher em que estado de espírito, com que vibrações e guiado por quais valores e princípios deseja escrever o "livro da sua vida". Tudo que foi dito vale também para todas as etapas de nossa existência; afinal, nos transformamos constantemente revisitando e ressignificando cada etapa já vivida. É assim que os pais têm essa mágica possibilidade de revisitar sua adolescência junto com seus filhos e criar, transformar sua consciência e seu modo de ser e de existir.

Parte do processo de transformação está em se tornar, qualquer que seja a sua idade, novamente um aprendiz.

Marilyn Ferguson

Capítulo 2
A nova humanidade

Notícia veiculada na internet em 06/06/16 anuncia que um menino de 6 anos, chamado Robbie, na cidade de Quincy, nos EUA, ligou para a polícia denunciando seu pai por ter passado o sinal vermelho devido à pressa em chegar a um lava-rápido. O menino, ao ver o sinal fechar e constatar que seu pai não havia parado, teria dito a ele que iria ligar e denunciá-lo à polícia. Seu pai tentou demovê-lo da ideia dizendo que isso não tinha importância. Mas o menino havia tido aulas sobre as leis de trânsito e aprendido, na pré-escola, que se tratava de algo errado e proibido. Então, cumpriu sua função como cidadão.

Ao ser entrevistado pelo jornal Boston Globe, o menino declarou que deseja ser policial quando crescer, para ajudar a proteger as ruas dos criminosos. Disse que todos cumprem as leis, menos seu pai, e que se ele voltar a passar o sinal vermelho, irá levá-lo a um médico para consertar seus olhos.

Nasceram com uma conexão inata e são incorruptíveis. Seus terceiros olhos, suas vozes interiores, seus canais de cognição suprassensoriais estão ligados a uma herança natural de cada criança nascida.

A Revelação – Bárbara Marx Hubbard

Precisamos encarar o fato de que temos hoje novas gerações de crianças, de adolescentes e de adultos pertencentes aos grupos evolutivos chamados Índigo e Cristal, ou Geração Y-Z, no contexto do mundo das empresas e dos negócios. Essas novas gerações já são a imensa maioria no planeta, e isso não é especulação, é constatação.

São essas gerações que vieram para mudar e transformar o mundo que demonstram, a cada gesto, a cada atitude, e todos os dias, que são realmente diferentes! Como podemos perceber nessa notícia, uma de suas características mais marcantes é a sua pureza de alma e o "compromisso" natural com a verdade e com a justiça. Não significa que sejam perfeitas, nem que não têm nada a aprender aqui, ao contrário. Elas têm muitas lições a aprender em nível individual e, principalmente, quanto ao entendimento e à paciência necessários para viver aqui na Terra lidando com todos os limitadores da densidade planetária e de leis como a do livre-arbítrio. ***Elas necessitam, ao longo de sua jornada por aqui, lidar com a raiva, especialmente os Índigos, quando se deparam com as injustiças, com a falta de escuta verdadeira, com a ausência da ética e do Amor Verdadeiro.*** Terão que aprender a manejar as questões do tempo e seus limitadores num planeta que ainda percebe o tempo como sendo linear e rígido, enquanto essas crianças e jovens já trazem em si dons que possibilitam manejar o tempo expandindo ou encolhendo a sua passagem, especialmente aqueles que são de vibração Cristal. Essas crianças e jovens encontram muitas dificuldades diante da competição acirrada, desleal e tresloucada que acomete seus pais, seus professores e a sociedade em geral. Eles dirão muitas vezes: "Mas isso aqui não é uma corrida! E, se fosse, todos teríamos que chegar juntos, pois todos nós merecemos, somos todos um! Chegaremos juntos, se todos nos ajudarmos!". Essas crianças e jovens trazem memórias de onde vieram e isso os fará sofrer muito ao ter que lidar com o individualismo e a separatividade, como nos relatou uma mãe que, ao longo da vida, achou que sua filha (hoje com 22 anos) tinha sérios problemas psicológicos devido a uma "suposta exagerada dependência", se questionando sobre onde teria errado e, por causa disso, a levou a inúmeros psicólogos e terapeutas. Numa dessas vezes, a filha lhe disse chorando: "Mas, mãe, lá de onde eu vim, nós costumávamos compartilhar e dividir tudo!". Essa mãe, que mais recentemente leu um de nossos livros sobre a geração Índigo, escreveu-nos contando que, através da leitura, se deu conta e só agora entendeu quem é a sua filha!

Estamos vivendo um processo de transformação quântica, termo relativo ao Hiperespaço que envolve todas as dimensões mais elevadas e onde não existe nem tempo, nem espaço, tudo é o "Agora". Estamos de fato atravessando um momento histórico evolucionário em que temos a oportunidade de escolher prosseguir e nos transformar em seres realmente humanos, já que até aqui a humanidade ainda não é humana, somos animais com aparência humana. Neste *Momento Quântico*, de acordo com a futuróloga evolucionista Bárbara Marx Hubbard, autora do livro *A Revelação*, estamos vivenciando nossa transformação de seres autocentrados em seres universais.

Quando a autocentralidade for transcendida por meio de uma consciência centrada no todo, o tempo desaparecerá, já que ele só existe numa perspectiva de um ser que vivencia a si mesmo como estando separado do todo, da Criação. A experiência do tempo desaparecerá quando a autoconsciência desaparecer, afirma a autora, de acordo com os textos do Apocalipse, que significa revelação.

A experiência da cocriatividade emerge e torna-se realidade com a consciência centrada em Deus/Amor/Vida. Nesse estágio de evolução, sintonizamos com as frequências mais elevadas, dançamos a dança cósmica ao som de uma sinfonia cósmica. Nesse estágio, tudo flui de acordo com a Sincronicidade (uma das Leis do Universo), e sentimos lá dentro de nós que estamos na **direção certa.**

As novas gerações podem ser entendidas e vistas como os seres crísticos. Seres Cristal de vibração Cristal ou seres crísticos. Trazem dons e talentos incríveis, tendo em vista seu DNA muito mais ativado. **Elas trazem bagagem impressionante, que inclui memória de outras vidas, de outros planetas e estrelas de origem.** Sim, elas são multidimensionais e interdimensionais, multissensoriais e multilaterais, são telepatas por excelência, com sensibilidade acentuada, sensitividade e mediunidade privilegiadas. Elas manifestam o dom de curar, simplesmente através de sua presença, o que pode ser observado desde que estão no ventre materno. Comunicam-se desde antes de nascer ou mesmo antes de terem sido planejadas por seus pais e dizem, em muitos casos, qual nome desejam ter e até mostram seu rosto e feições através de sonhos, de visões. Conforme artigo publicado no jornal *O Tempo*, de Minas Gerais:

parece existir um consenso geral de que eles apresentam particularidades genéticas revolucionárias. As pesquisas sinalizam que os Índigos estariam nascendo com um potencial de ativação de quatro códigos a mais que os seres humanos normais. Isso gera o fortalecimento do sistema imunológico. Na Universidade da Califórnia, Estados Unidos, foram injetadas quantidades letais de células cancerígenas e vírus do HIV em amostras de células colhidas de várias crianças Índigo. Resultado: as células continuaram se reproduzindo de forma normal. Os índigos já nascem protegidos contra doenças cármicas como câncer, diabetes e asma, que estão impregnadas no inconsciente coletivo da espécie humana. Embora protegidas contra doenças, essas crianças podem adoecer quando encontram discórdias e brigas no ambiente familiar ou quando os adultos interferem em suas metas. Uma vez restaurado o equilíbrio e a paz, elas também parecem possuir uma extraordinária capacidade para curar-se sozinhas. Existem casos em que a criança escolheu desencarnar quando as condições eram desfavoráveis à sua missão.

Alguns jovens dessas novas gerações trazem o novo DNA, que se designa pela sigla GNA. São ainda minoria, mas estarão chegando em número crescente nos próximos anos. Com esse novo DNA, veremos seres humanos com ultrapoderes, equivalentes aos de alguns de nossos super-heróis de agora, com morfologia diferenciada, externa e internamente. Esses seres humanos enfrentam e enfrentarão ainda sérias dificuldades de estar aqui por muito tempo, já que funcionam, organicamente falando, de modo distinto. Precisarão ser reconhecidos como seres humanos saudáveis, sem patologias, porém "diferentes", para que sejam respeitados, honrados e observados, e também estudados de forma natural, mas sem serem colocados em redomas de vidro ou em tubos de ensaio, em laboratórios.

Dizemos isso, pois existe uma tendência acentuada, na espécie humana, ainda em mutação, de rejeitar e rotular todos os seres considerados "diferentes". Sendo assim, as diferenças são "entendidas" como patologias, logo, rotuladas para, a seguir, receberem "medicação necessária" e até "cirurgias" para fazer parecer mais com o dito "normal". Conheci um ser com o GNA, uma criança, e, pasmem, os médicos planejavam fazer cirurgias de correção em seu queixo, em seu palato e no seu coração, tratando-os como uma anomalia, quando, na verdade, não eram mais do que características próprias de um ser diferente que aqui chegou e cujos "sintomas" se relacionavam com sua forma diferente de respirar e sua alta vibração, diante do que ele tentava se adaptar e sobreviver nas condições da densidade terrestre. Esse menino nasceu de 36 semanas, em 29 de novembro de 2009, foi considerado prematuro e, segundo a avó, havia engolido 100 ml de mecônio e outros líquidos da placenta, não estava crescendo nem se alimentando e colocava esses líquidos pelo nariz. Foi levado para a UTI (Unidade de Tratamento Intensivo) do hospital onde nasceu, a pedido do pai. Essa avó relatou-nos que sua irmã, que trabalhava num centro espírita, fez uma consulta e os médiuns disseram que seu neto trazia o novo DNA (GNA) e que os médicos nada descobririam sobre ele.

Vejam um trecho da mensagem que esse ser me transmitiu, quando sua avó me solicitou que tentasse um contato, pois com um mês de vida seu neto ainda se encontrava na UTI, sendo observado pelos médicos que nada diziam à família e também não sabiam como lidar com aquela criança tão diferente:

Eu sou um ser estelar, venho de Amintalite, uma estrela longínqua e próxima de Júpiter. Sou um ser amigo e pacificador que veio com a missão de liberar meus familiares de um jugo milenar de sofrimento e dor, devido a guerras entre eles, num passado distante. Agora é uma chance de se reunirem e de se amarem de um modo especial e único, eliminando qualquer dúvida, temor ou desesperança.

Venho nessa forma física meio "assustadora", meio diferente, pois me foi pedido e concedido que eu seja um "desafio vivo" a todos os meus entes queridos, aos médicos, à comunidade próxima, para que comecem a se acostumar com novas formas humanas que estão chegando, cada vez em maior número.

Sou um ser de luz e de paz. Diga a eles que não temam pela minha vida, pois estou aqui em missão e sou consciente de que esta tem que ser assim e que tem começo, meio e fim. Só preciso ser amado e aceito por todos com muito amor, que é a força natural que vai me salvar e permitir respirar mais e melhor. Meu estado agora é crítico devido às circunstâncias em que cheguei e à dúvida que pairou, e ainda paira, em meus pais sobre o sentido da minha vinda.

Eles não estão conscientes o suficiente, mas eu posso lhes sentir, ouvir, perceber cada pensamento antes mesmo de formularem. Posso captar tudo o que sentem e tudo o que levam na mente e no coração. Saibam que, assim que me aceitarem e amarem sem condições, sem dúvidas, sem restrições, sem medo ou receio, vou respirar em paz e normalmente.

Vejam-me como um ser de luz que veio ajudar na evolução da minha família e de toda a família humana.

Sim, é verdade que sou diferente no meu físico e tenho características de código genético muito distintas. Sou um ser de maior, digamos, evolução, na qual a aceleração das partículas e corpúsculos de meu DNA se encontra ativada e ambos são transformados em átomos de duas ou mais células vitalícias. Com isso, significa que sou mais resistente às doenças da Terra e às perturbações emocionais, aos sintomas que poderiam matar rapidamente um ser humano. No entanto, eles não me atingirão. O que pode me atingir mais e mortalmente é só a falta de amor, as vibrações negativas que existem na Terra e as perturbações de almas impuras e negativas.

Vejo as cores de vocês, os campos vibracionais e as emoções de cada cor. Se quiserem me ajudar, por favor, emanem luz de amor, que é o melhor alimento para mim.

(A mensagem original e completa se encontra nas páginas 31 a 33 do livro Crianças Cristal, desta autora e desta mesma editora.)

Essa criança incrível e adorável partiu pouco antes de completar dois anos, deixando-nos uma linda mensagem e revelando-nos o que ainda está por vir, em termos de transformações relativas à evolução humana, nos próximos anos.

Para compreender, acolher e amar incondicionalmente as crianças e jovens de agora, necessitamos ***urgentemente sair de nossos limitados casulos humanos*** e terrenos onde estamos confinados e somos direcionados pelos nossos cinco sentidos físicos e primatas, com ideias antigas e preconceitos cristalizados.

Precisamos aceitar o "chamado" para uma escolha mais consciente e madura quanto ao nosso "despertar". **Dessa escolha depende o nosso futuro, o futuro das novas gerações e do nosso planeta.**

Capítulo 3
Os adolescentes hoje

Salte alto
para que possa
voar longe.
Jennifer Hoffman

Os adolescentes de hoje ainda enfrentam os desafios e ritos de passagem do túnel, geralmente apertado e escuro, existente entre a infância e a vida adulta. No entanto, agora esses desafios mostram-se muito mais duros e acentuados devido, por um lado, às transformações sofridas pela organização social, política e econômica (ou seria melhor dizer desorganização e caos?!). E, por outro lado, devido às próprias transformações decorrentes da evolução humana com DNA ativado, dons e talentos aflorados e altíssima sensibilidade, entre outras características. Se em nosso passado já era difícil e muito doloroso transitar entre dois universos, infância e vida adulta, atualmente, nessa Era Tecnodigital, esse trânsito ganha contornos deveras desesperadores para todos os envolvidos, mas principalmente para os adolescentes, também chamados tristemente de "aborrescentes". Daí que, na chamada Era Moderna, assistimos, nos últimos vinte anos, à confirmação de uma das previsões dos futurólogos, que anunciavam que veríamos a adolescência ser "esticada" até os vinte e poucos anos de idade e os filhos adolescentes ficarem na casa dos pais por muito mais tempo.

Ninguém que se lembre de sua própria adolescência e que seja verdadeiro e honesto dirá que foi um período fácil, simples e feito somente ou majoritariamente de recordações felizes. Em todo caso, como estou sempre aberta ao novo, ao surpreendente, se você teve uma adolescência absolutamente feita de momentos felizes, por favor, me escreva e me conte, ficarei muito grata em saber que isso é possível, embora raro.

No livro *Cartas de Cristo*, há um relato a respeito da adolescência de Cristo em que, curiosamente, Ele descreve esse período como tendo sido de teimosia, na visão de sua mãe, e de rejeição à tradição e à religião da época. Ele também se recusou a aprender um ofício. Escolheu sair, beber, conversar com pessoas, divertir-se e ter uma vida ociosa. Quando precisava de dinheiro, trabalhava nos vinhedos para ganhar apenas o que precisava para comer, beber e ter acesso ao lazer. Era egocêntrico e tinha atitudes descuidadas e indolentes, sem preocupar-se com o que pudessem pensar os outros. Por outro lado, Cristo era profundamente emocional, hiper-reativo, hiperemotivo, para usar termos de agora. Tinha um coração caloroso, compassivo e empático. A doença, a pobreza e a aflição o comoviam profundamente. Era um acirrado defensor dos desamparados.

Era "gente do povo", tendo vivido muito perto dele em espírito de companheirismo, ouvindo suas aflições, compreendendo-o e se importando com ele. De acordo com esse relato, é importante entender as verdadeiras origens e características de Cristo na sua juventude, já que foram esses os estímulos que o incitaram e impulsionaram a ser quem ele foi, o Cristo, e a "despertar" para seu propósito de vida e sua missão aqui na Terra.

Foi somente após escolher ser batizado por um tal de João Batista, de quem ouvira falar, que ele se retirou para o deserto, onde permaneceu por seis semanas e passou por uma total transformação. Falaremos sobre isso quando abordarmos as possibilidades de transmutação e de transformação das etapas e desafios da adolescência em um verdadeiro "despertar" da consciência.

Tais considerações são e serão importantes, ao longo deste livro, para nos inspirar e também balizar, referenciar a caminhada desafiadora dos adolescentes, meninos e meninas, ao longo da história humana e, muito especialmente, nessa Era dita moderna. Consideramos útil e interessante citar a visão de Olivero Toscani, o grande e visionário fotógrafo italiano, acerca da modernidade: ***Modernidade é viver o tempo atual juntamente com tudo o que já existiu.***

Na poesia a seguir intuímos, certa vez, um tanto do que vai nas almas e nas mentes, nas vibrações das novas gerações de jovens. Ao pedirmos que alguns deles lessem e dissessem o que sentiam, pudemos confirmar tal intuição.

DNA

DNA, te busco no infinito
Escrevo tuas letras
No espírito
Sou tua programação
Manifesta
Expresso teus planos
Teus poderes.
Teus dons espalhados

E ativados em mim
Revelam quem eu sou
Quem eu sempre fui
Motivam meus motivos
De viver.

DNA ativo
Explosivo
Que dons
E outros talentos
Me queres
Desenvolver
Será que vou
Agora ser
Artista ou cenografista
Parteira ou mesmo
Enfermeira
Será que vou me
Trans-formar
Cantar, rezar e
Dançar
Fazer rir e chorar?
Ou quiçá
Serei eu o ator
O médico, o diretor
O líder
De um novo tempo
Será que vou levantar
As massas
Os coletivos
Guiando
O povo sofrido
À linha de um novo horizonte?

DNA ativado
Responde à minha
Pergunta: sou mesmo
Outra pessoa depois
Da tua investida?
Serei eu a ver
Refletida a imagem
De um novo ser
No meu espelho
Eskalia?
Serei eu na parede?

Alcanço meu próprio
Dia, perfil, alma
Alegria
Que dons
Estarei trazendo
Pra escola
Da minha vida?
Refaço todo o
Meu mapa
Sou nova
Agora me espalho
Manifesto...

Ingrid Cañete

Capítulo 4
A busca pela verdade

***Se perseguíramos realmente a verdade**, começaríamos lenta e trabalhosamente a despojar-nos, um a um, de todos os nossos envoltórios de ficção e engano: ou pelo menos deveríamos desejar fazê-lo, pois a mera vontade não nos capacita para lográ-lo. Pelo contrário, o que melhor pode sinalizar nosso erro e ajudar-nos a vê-lo é o adversário que nós queremos destruir. E essa é quiçá a razão pela qual queremos destruí-lo. Do mesmo modo, nós podemos ajudá-lo a ver seu erro, e essa é a razão pela qual ele busca destruir-nos. (...)*

Thomas Merton

Perguntas necessárias para todos, especialmente para os pais e para os filhos adolescentes:

Quem é você?

Em que ideias, crenças e valores você se apega como se fossem a única e absoluta verdade?

Já parou para pensar que a Verdade é algo muito maior, mais amplo e que não pode ser contida em alguns poucos conceitos, ideias ou crenças?

Quem são seus inimigos, aqueles que, por pensarem diferente de você, por discordarem da "sua verdade", você deseja destruir?

Você já viu ou vê seus pais como seus inimigos?

Que verdade eles podem revelar que você se recusa a ver?

Você já viu ou vê seus filhos adolescentes como seus inimigos?

Que verdade eles podem e querem revelar que você se recusa a ver?

O que é, realmente, a VERDADE?

Se quisermos realmente evoluir como seres espirituais passando por uma experiência humana, temos que assumir que toda e qualquer etapa de nossa vida requer de nosso ser muita coragem e uma dedicação obstinada na busca pela verdade e pela consciência.

Sem isso, ficaremos andando em círculos ou a esmo, perdidos e sem rumo.

Poderemos realizar muitas coisas aparentemente importantes, significativas, que nos rendam fama, um bom dinheiro, fortuna até, mas não estaremos avançando na caminhada de evolução espiritual. O depoimento desta jovem que nos escreveu após a leitura de nosso livro *Adultos Índigo*, que trata das novas gerações, traduz de forma clara algumas características dos jovens de agora, assim como essa busca que está dentro de nós, com muita força, justamente, na adolescência:

Hoje estou gostando do meu atual trabalho e acredito que isso se deva ao fato de que é uma pequena empresa de Tecnologia, coisa que eu gosto muito. Nela eu participo da gestão e da liderança, tenho bastante autonomia, não preciso de autorização pra decidir. São muitas atividades de naturezas distintas, é muito dinâmico e estou sempre aprendendo coisas novas, me movimentando, buscando soluções. Eu me sinto bem quando há muito trabalho e posso escolher o que fazer. Mas ainda estou em busca de algo mais e sei que vou encontrar cada vez mais um pouco dessa Verdade que sempre me moveu e me fez seguir em frente. Incomoda muito a falta de um propósito explicitamente social relacionado ao meu trabalho. Esses dias descobri o conceito de Negócio Social, em que a empresa visa ao lucro para ser reinvestido nela própria e na comunidade somente, e não podendo ir apenas para o bolso dos proprietários. Simples e fantástico, estou amadurecendo esta ideia.

Acreditamos que viver a adolescência própria e a de nossos filhos, a de nossos jovens, seja uma tremenda oportunidade de parar e pensar sobre a VERDADE. Não a minha ou a sua verdade, não a verdade do vizinho, do professor, do governante ou da mídia, não a verdade que algumas religiões apregoam e da qual sentem-se donas absolutas. Nem mesmo a verdade que seus pais e avós ensinaram, tampouco a verdade que muitos livros acenam conter e, muito menos, a verdade que a ciência humana, com todas as suas limitações, pretende ser a detentora quando afirma e quer nos fazer crer que somente o que é dito científico merece ser considerado verdadeiro, real e de valor. Pensar sobre a Verdade Maior, aquela que habita dentro de nós, mesmo que bem lá no fundo do coração, da alma, e que sabemos, de algum modo, que está lá. Aquela Verdade que só quando entramos em contato com ela sentimos e vibramos de um jeito único e diferente e sabemos que se trata da Verdade. A Verdade que não se traduz em palavras, mas que existe desde sempre, desde que o mundo é mundo, e até mesmo antes de tudo ter surgido. A Verdade que, enquanto não vivemos de acordo com ela, nos sentimos incompletos, imperfeitos, sem motivação, sem sentido, e fazemos as coisas de forma automática, como robôs. Como nos expressa claramente um jovem chamado Hycham, que, ao deparar-se com essa Verdade Maior, num diálogo com seu melhor amigo, Pablo, jovem que também acabou de se encontrar com essa Verdade, diz mais ou menos assim:

Querido irmão, eu sempre me questionei muito sobre crenças e padrões impostos pela sociedade, nunca consegui me adaptar muito a isso e sempre me senti atraído por culturas e crenças alternativas.

Como eu disse pra você na nossa conversa, eu nunca tive ambição de ser extremamente rico e, mesmo falando ou trabalhando pra que isso acontecesse, no fundo, nunca senti vontade de verdade de morar numa casa gigante ou ter um carro extremamente caro. Mesmo gostando ou achando bonitas algumas dessas coisas, sempre me perguntei pra quê eu teria algo assim e sempre achei extremamente desnecessário pra minha vida esse tipo de "luxo".

Antes da minha filha nascer, eu nunca consegui trabalhar de verdade... sempre fui infeliz em tudo o que fiz profissionalmente e nunca dediquei todo o meu potencial pra nenhuma das atividades profissionais que eu exerci. Pra mim, nenhum desses trabalhos fazia sentido algum e eu sempre fui extremamente infeliz na minha vida profissional. Pensava em fazer alguma coisa mais artística ou algum trabalho mais manual, mas não conseguia pensar em algo que pudesse me fazer trabalhar mais feliz e, ao mesmo tempo, me dar uma independência financeira.

A minha maior preocupação, hoje, é em como passar pra minha filha as crenças e valores que eu tenho em mim, mas que vão totalmente contra os moldes do sistema.

Até então, eu não conseguia pensar em nenhuma alternativa ou solução pra essas questões que batem todos os dias na minha cabeça. Não via uma alternativa pra criar a Maria de forma diferente, de ensinar pra ela os verdadeiros valores que eu acredito e de tentar ensiná-la a buscar o "SER" e não o "TER".

Tudo isso que eu estou escrevendo pra você eu nunca falei pra ninguém... sempre tentei fazer parte da sociedade, dentro de seus padrões, mesmo não sendo nem um pouco feliz com isso.

De repente, você (a pessoa que eu menos esperava no mundo) me fala que sente exatamente a mesma necessidade que eu tenho de me desligar do sistema e de buscar o "SER". Começa a falar sobre amor, sobre o nosso propósito nesta vida e sobre a mentira em que o mundo vive, e nessa última conversa que tivemos, no restaurante japonês, isso começou a fazer sentido pra mim como nunca.

De repente, você simplesmente apareceu com TODAS as respostas pra todas as dúvidas que eu sempre tive, pra todas as crenças que tenho e pra todos os pensamentos que involuntariamente marretam minha cabeça, todos os dias.

Eu não sei ao certo quais são os seus planos nessa sua nova jornada, mas nesses e-mails que você trocou com a Ingrid teve uma coisa que me chamou muito a atenção, que é a Cidade-Escola Ayni e algumas das escolas que serviram de referência pra criação desse projeto. Achei fantástico o modelo de ensino da escola Ayni e das escolas que a inspiraram. Uma escola que, mesmo seguindo as diretrizes curriculares do governo, ensina de forma totalmente diferente, sem provas, sem competição, avaliando cada aluno individualmente, ensinando o amor e ensinando as crianças a "SER".

Lembro que você me mostrou no Google Earth uma parte da área que você estava separando pra construção de uma escola e não sei os seus planos em relação a essa escola, mas tudo isso começou a fazer muito sentido pra mim. Pode parecer loucura, mas nos últimos dias um sentimento de que eu preciso fazer parte disso me tomou por completo. Alguma coisa na minha cabeça não para de falar pra mim que esse é o único caminho que eu devo seguir, não sei explicar isso, mas acredito que você tenha sido tomado por esses mesmos sentimentos pra estar fazendo tudo isso que você está fazendo.

Eu nunca falei sobre isso com a minha esposa e não sei qual seria a reação dela. Caso tenha lugar pra minha família nos seus projetos, eu realmente sinto que devo fazer parte disso, mesmo sem saber ao certo como.

Independente de qualquer coisa que aconteça ou de quais sejam os seus planos, agradeço por você ter compartilhado comigo esses e-mails *e por ter se aberto comigo em relação aos seus planos. Nunca alguma coisa fez tanto sentido pra mim na minha vida como agora.*

Estamos juntos, meu irmão, pode contar comigo para o que for preciso.

Pablo

Propomos que você, leitor, faça este exercício consciente, disciplinado e dedicado a partir de agora, durante a leitura. ***Considere a possibilidade de escolha que você tem.*** Este é o seu poder pessoal: escolher. Exercite a liberdade de pensar com a sua própria mente e de não se fechar rapidamente para as infinitas possibilidades que o Universo contém e representa. Quando atuava como professora na universidade, dizia para meus jovens alunos que pensassem com a sua própria mente e questionassem tudo o que liam e o que era dito, inclusive por mim. Lembrava a eles que vivemos num mundo que é verdadeiramente um jogo, um *game*. Nesse jogo, as mídias têm o seu papel e seus interesses, então, elas jogam de acordo com eles. O mesmo é válido para as instituições e os governos. Nesse jogo, nem tudo o que parece é. Precisamos, em nome da busca pela Verdade Maior, manter afiada a nossa capacidade de discernir e de usar o bom senso. Somos livres para escolher. Não existem escolhas erradas, lembram? Existem escolhas mais elevadas e escolhas menos elevadas ou de baixíssima vibração. De acordo com as nossas escolhas, atraímos respostas, acontecimentos, pessoas.

Na contracapa de *Divergente*, um romance em que os personagens são jovens adolescentes e cujo tema envolve justamente a questão das escolhas e suas consequências e riscos, lemos o seguinte:

Uma escolha decide quem são seus amigos, uma escolha define suas crenças, uma escolha determina sua lealdade... para sempre. Uma escolha pode te transformar.

Aproveito para sugerir que você assista e convide seu filho ou filha, se você é pai ou mãe, ou seus pais, se você é filho ou filha, para assistir a um filme sensacional, chamado *Quem somos nós?*. Assistam muitas vezes e comentem, troquem ideias, conversem sobre esse filme que vai trazer algumas respostas, mas que irá, principalmente, abrir muitas janelas e portas de sua percepção, de sua mente. Se você é professor, assista e apresente aos seus alunos e depois comentem, conversem, pesquisem a partir dos diferentes ângulos e possibilidades que o filme apresenta.

Em filosofia se diz que a Verdade pré-existe, independente se a descobrimos ou não. Ela, a Verdade, continua ali, firme e inabalável, pois ela é simplesmente a Verdade. Você pode substituir a palavra Verdade por Sentido, se quiser. Afinal, tudo o que buscamos nesta vida, desde o fundo de nossa alma, não é sentido para a vida? Então, nos parece muito bom e reconfortante saber que o Sentido pré-existe, ou seja, já existe antes mesmo de termos nascido. **Apenas precisamos nos dedicar a descobrir qual é o sentido de termos nascido, de estarmos vivendo nesta época, nesta família, nesta cidade e neste país.** Será que foi apenas um "acidente" de percurso de nossa alma?

Não, eu não acreditaria nisso, pois, caso não saiba, nada acontece por acaso, as coincidências não existem, portanto, os "acidentes" têm uma razão de ser e, possivelmente, estavam programados no roteiro de nossa vida. Nós o escrevemos e programamos com a ajuda de nossos Mestres e Guias antes de "baixar" aqui na Terra, como me dizem algumas crianças sobre a forma como vieram parar aqui. Sim, elas contam que desceram por um túnel escuro e apertado depois de obter a permissão de Deus. Se você é daqueles que se diz ateu ou que não tem religião e não gosta do termo Deus, tudo bem, substitua a palavra Deus por Amor, Vida, Força Maior ou, ainda, Pai-Mãe-Vida.

Você tem muitas dúvidas e perguntas sobre tudo isso? Que ótimo, sugiro que se mantenha assim, com muitas perguntas e questões a respeito da vida, de seu sentido, dos *porquês* e dos *para quês* de muitas coisas aqui na existência terrena e também a respeito do Universo e do Cosmos. Cultive as perguntas, pois elas são um forte sinal de sua saudável curiosidade e de sua elevada Inteligência Espiritual. Não aceite o não como resposta sem argumentos plausíveis e verdadeiros. Questione-se e questione, dedique-se a buscar a Verdade e a Consciência por toda a sua existência. Pois, mesmo que você não encontre todas as respostas para suas perguntas, garanto que você terá uma vida muito mais divertida, rica em possibilidades, de horizontes muito mais amplos, com perspectivas sempre incríveis e estimulantes, e sua alma irá se expandir e se desenvolver muito até o último minuto de sua estada por aqui. Porque tudo tem o seu tempo, o seu ritmo perfeito, nenhuma flor floresce antes de estar pronta e nenhuma fruta surge e amadurece antes do momento certo. Assim, todas as coisas e todos os seres do Universo seguem uma Ordem Universal e as Leis do Universo, desde o micro até o macrouniverso. Há uma bela mensagem espiritual que nos diz com sabedoria que Deus não nos dá tudo o que pedimos, mas sempre nos concede tudo o que necessitamos e no momento perfeito para nós.

Da mesma maneira, acontece com todas as nossas perguntas e questões diante da vida. ***As respostas virão, com toda a certeza, se nos dedicarmos ao cultivo das perguntas com muito amor e coragem.***

Capítulo 5
Enfrentando a separação dos pais

Vamos dar um breve exemplo de como pode ser desafiador enfrentar a sombra, a escuridão e a Verdade nesse caminho de busca, seja para os pais, os adultos e os adolescentes. Os jogos, as máscaras, a incoerência, os conflitos e a insistência em um fazer de conta insustentável desgastam e cobram um preço. O depoimento de Leila, uma jovem Índigo, relembrando sua entrada na puberdade, nos auxilia a perceber a dimensão desse desafio.

Fui crescendo num ambiente difícil, com muitas brigas entre meus pais, meus irmãos muito materialistas também não facilitavam.

Bem, não sei detalhes ao certo, porque, obviamente, tinha sérios problemas de saúde decorrentes das brigas que atacavam minha asma e vivia à base de remédios.

Mas, aos 11 anos, finalmente eles se separaram. Lembro que meu pai me levou ao clube (algo que nunca fazia), então eu sabia que algo estava acontecendo. Quando ele me contou, todo receoso, eu fiquei feliz, ninguém entendeu nada.

Ao chegar em casa, minha mãe chorava muito, e eu não entendi, pois ela sempre dizia, depois das brigas, que era melhor se ele não existisse ou fosse embora, então achei que, quando isso finalmente acontecesse, ela estaria feliz... Mas eu estava enganada, e claro que falei isso a ela e a todos. Óbvio que fui repreendida, pois falaram que eu era insensível, fiquei sem entender... Por que justo eu, que sempre passava mal por ser tão sensível?

Hoje eu entendo o que queriam dizer, mas, ainda assim, friso que fiquei mesmo feliz com a separação, e penso que é o melhor para qualquer um, pois viver no inferno e deixar de aproveitar a oportunidade de crescer é um desperdício.

Claro que eu era a mercadoria de troca, era a única filha menor. Minha atenção era muito disputada, os dois queriam meu reconhecimento e que eu dissesse: "Fulano é que está certo". Mas acho que os frustrei, pois não tinha por que achar nada sobre certo e errado, detesto rótulos. Já naquela época, falava que em toda história as pessoas envolvidas sempre têm contribuições boas e ruins para a situação, acho mesmo que nada é "culpa" de X ou de Y. Isso era a morte para eles, cheguei a falar que eu não estava à venda, quando meu pai disse que só me daria a mesada se eu fosse na casa dele. E isso não foi muito bom para um pai ouvir de uma garota de 12 anos.

Os filhos buscam respostas e, ao mesmo tempo, representam muitas respostas para os sonhos e planos dos pais, que, um dia, sonharam, planejaram ou, no mínimo, numa condição de maior inconsciência, correram o risco de se tornarem pais. Enfrentar e lidar com as verdades e as respostas que os filhos propõem exige uma estrutura interna de segurança, autoconfiança e equilíbrio dos pais, que nem sempre existe. Simplesmente, não foi construída...

É preciso nos prepararmos, durante essa caminhada de busca pelas respostas, pois existe um sábio ditado que nos alerta: cuidado com o que pedires, pois o Universo pode te conceder. Isso significa que devemos nos dedicar à busca sempre com muita consciência para fazermos pedidos e perguntas para os quais estejamos prontos e preparados, já que a conquista ou a resposta podem nos surpreender de tal modo que nos sintamos confusos e sem saber o que fazer com aquilo que obtivemos. Um bom exemplo é o de uma jovem adolescente que, não se achando bonita e atraente, pede a Deus, ao Universo, que lhe ajude a conquistar um namorado, apenas um namorado. Nesse caso, o Universo pode entender que qualquer namorado serve, o pedido não foi específico e a autoestima da jovem, estando rebaixada, atrai para ela um namorado e, quando ela se depara com essa "conquista" ou "resposta" do Universo, talvez se sinta apavorada. Essa jovem passou a fugir e se esconder, pois nunca tinha namorado e ficou assustada diante da possibilidade de vivenciar algo para o qual não estava preparada. Mas ela só se deu conta quando a resposta lhe chegou. Isso nos leva a uma outra sábia frase que nos ensina que o sentido da vida não está num porto de chegada, e sim em navegar. Quer dizer que, quando ficamos muito obcecados com algo que desejamos, geralmente esquecemos de viver cada passo do caminho, de prestar a devida atenção, de viver o momento presente, e justamente é em cada passo do caminho que se encontra todo o aprendizado, o amadurecimento, a preparação para o alcance de nosso objetivo ou o recebimento de nossa resposta.

Como diz a belíssima poesia de Rainier Maria Rilke, que intitulamos carinhosamente assim:

As perguntas

Quero te implorar, tanto quanto posso, que sejas paciente
com tudo que continua sem solução em teu coração,
e que aprendas a amar as próprias perguntas,
como se fossem quartos fechados,
Ou livros escritos em uma língua estrangeira.

Não procures as respostas que não te podem ser dadas,
porque não conseguirias vivê-las,
E o importante é viver tudo.

Vive as perguntas agora,
talvez, então, tu, gradualmente,
Sem notar,
Viverás até algum dia distante,
Quando encontrarás a resposta.

Lembre-se: A busca pela Verdade envolve sempre o enfrentar das sombras, trata-se de olhar de frente para os recantos mais ínfimos e escondidos de nosso ser. Sendo necessário, muitas vezes, esforço imenso e ajuda externa de um terapeuta sensível, humano, espiritualizado e competente. Encontrar-se com as nossas sombras pode ser desagradável e até assustador, por vezes, surpreendente também, mas esse é o caminho de nosso autoconhecimento, de nossa autodescoberta e de nossa evolução até a iluminação. Vale a pena, pois, além de ser nosso propósito em vida, possui um sabor inimaginável, raro e único. ***Buscar a verdade significa trilhar o caminho da consciência e implica muita coragem, fé e determinação, obstinação.*** É a jornada da alma que vai ao encontro do mundo do inconsciente e, a cada passo, joga *flashes* de luz e vai arrancando máscaras, derrubando véus, rompendo padrões, desnudando territórios do seu ser, atravessando zonas áridas e secas, dispondo-se a escrutinar, examinar e depois transmutar, transcender e transformar a dor em alegria, o sofrimento em significado e motivação, a escuridão em luz.

Capítulo 6
Reflexão para os pais

O envolvimento amoroso, vale dizer, o vínculo afetivo, só se torna uma experiência rica, prazerosa e libertadora se for permanentemente esculpido.

Paulo S. Rosa Guedes e Julio Cesar Walz

Quem são vocês, pais, que agora mesmo se recusam a ouvir, a escutar a voz de sua Essência? Que adolescência vocês tiveram? Que tipo de jovens vocês foram? Que alegrias e que dores sentiram? Que anseios sufocaram? Quantos segredos guardaram?

Já pararam para pensar que a passagem de seus filhos da infância à adolescência representa a própria passagem de vocês, agora revisitada e passada a limpo, quer gostem ou não?

Estão com medo dessa passagem? Que tipo de medo sentem agora mesmo? Será que são os mesmos medos que sentiam quando eram adolescentes? **Estão dispostos a lidar com seus medos, a olhar de frente para eles?**

É preciso cuidado e atenção redobrada porque seus filhos são indivíduos, são pessoas separadas de vocês. Eles não são a continuação de vocês, eles não são a sua segunda chance de realizar desejos e sonhos não realizados. Seus filhos adolescentes estão se despedindo da infância, deixando, pouco a pouco, de ser crianças para caminharem rumo à vida adulta. Caminham em direção a uma separação emocional, a individuação. ***Eles precisam experimentar, testar, caminhar com os próprios pés, errar e assumir seus erros para que aprendam com suas experiências e, justamente, com seus erros. É só assim que terão chance de se desenvolver saudavelmente, amadurecendo de verdade e conquistando autonomia e independência.***

Enquanto eles estiverem vivendo esses anos de passagem, irão experimentar diferentes fases, marcadas a ferro e fogo por uma metamorfose constante e por uma montanha-russa de emoções e sentimentos. Serão anos difíceis, duros e sofridos que precisarão ser vividos com todas as suas cores e formas para que daí advenha o real amadurecimento. Seus filhos adolescentes precisarão muito de você, de sua "presença", mesmo que na maioria das vezes eles neguem, recusem e se rebelem contra isso!

PRESENÇA significa estar presente não apenas fisicamente, mas se fazer presente emocional e espiritualmente. Não pode, em absoluto, ser substituída por coisas, objetos, dinheiro, viagens e outros presentes sob pena de encaminhar seu filho para uma vida centrada no materialismo e completamente desvirtuada, desviada de sua missão espiritual na Terra. É importante salientar que missão espiritual não é algo etéreo e impalpável, pelo contrário. Uma missão é algo insubstituível, ou seja, ninguém mais pode realizar, não daquele jeito e naquele sentido. Está ligada a uma vocação e a dons específicos de um indivíduo justamente para que tal missão possa ser realizada. Espiritual porque vem das instâncias da alma, do espírito, que é nossa essência, cujo instrumento é o corpo físico. Ambos, corpo e espírito, se complementam e são igualmente importantes e necessários para que a missão se materialize e, assim, o sentido da vida de cada indivíduo seja encontrado e faça sua vida valer a pena. Se não for assim, a vida de seu filho, a sua vida como pai ou como mãe cai no abismo do vazio existencial.

Por isso, os filhos precisarão de pais por inteiro, que estejam integralmente imbuídos e comprometidos com a missão de paternidade e maternidade.

Pais seguros de seu Amor Verdadeiro e de sua presença tanto em quantidade de tempo quanto em qualidade. Pais tranquilos e serenos, lúcidos e conscientes de que seu papel é manter um diálogo permanente, dar exemplos saudáveis e éticos, destacar e elogiar as virtudes e qualidades de seus filhos e da mesma forma, seguros o suficiente para dizer não e mostrar limites sem gritar ou brigar (já que assim perderiam a razão!) e sem medo das reações dos filhos. Filhos não precisam de pais "bengalas", nem que os "salvem" dos apuros em que se metem. Precisam, sim, de pais que estejam perto e junto, nessas horas, para apoiar e incentivar e que assumam e enfrentem as consequências de seus atos e escolhas, mostrando-lhes que pessoas de valor agem assim, com integridade e coragem, e que isso é verdadeiramente o Amor. Filhos precisam de pais que tenham coragem de dizer não, mesmo enfrentando os gritos, a revolta, a rebeldia e até a agressividade e o desequilíbrio deles. Pois é justamente daí, dessa resistência ao clamor dos filhos, da apresentação de parâmetros e referenciais éticos e morais, que advirá, com o tempo, a chamada temperança do espírito, da personalidade, do caráter. **Filhos não precisam nem querem ser mimados e paparicados, já que isso não contribui em nada para que desenvolvam seus dons e talentos e forjem seu espírito e, assim, se tornem quem realmente eles são em Essência.**

Medo e autoconsciência vêm com tudo na adolescência:
Dizem aproveitem o momento!
Mas parece que é o momento que se aproveita de nós...
É como se o momento fosse sempre o agora...
É isso...

Essas são as falas de alguns adolescentes que caminham entre as montanhas, no final do filme *Boyhood.*

Capítulo 7
Adolescência no século XXI

A adolescência é um dos períodos de desenvolvimento na caminhada que é a vida. Não é um período qualquer, porque envolve as etapas culminantes do desprendimento e da individuação, o que significa caminhar a passos mais largos em direção à autonomia.

Envolve a morte de tudo aquilo que a gente era, até então, e que nos garantia uma identidade definida e a tranquilidade de poder afirmar: sou uma criança. Consequentemente, assegurava ser tratado e apoiado, como criança, em tudo que tem a ver com o "universo infantil". Por volta dos 9 anos, até os 12 anos de idade, começamos a sofrer mudanças mais significativas (hormonais, físicas, comportamentais) que chamam a nossa atenção e, claro, a atenção dos adultos. Gradualmente, sentimos e dizemos: isso é brinquedo de criança, não é mais para mim! Modificamos o tom da voz e desejamos participar de atividades de "gente mais velha".

Passamos a ter atitudes que nos surpreendem e assustam os pais, os adultos. Damos respostas que eles julgam como muito adultas e desafiadoras para nossa idade.

É a morte da infância e o nascimento de uma nova fase, que costumamos chamar de puberdade ou pré-adolescência. Traduzindo: é um período de vida em que vamos nos sentir, mais ou menos, como o "patinho feio" daquela famosa história infantil, porque não somos mais criança e também não somos adultos. Nem sequer podemos afirmar que somos adolescentes!

Nosso corpo vai mudar, e mudar, e mudar... nos sentiremos estranhos e desconfortáveis, enfrentaremos dúvidas, inseguranças, dificuldade de aceitar a nós mesmos e vontade de voltar atrás, algumas vezes, sonhando que somos crianças novamente, e outras vezes, desejando apenas sumir, desaparecer, só para encontrar um pouco de paz, de tranquilidade e a certeza de que seremos aceitos, amados e apoiados de novo pelos nossos pais, pelos adultos ou, no caso de sumirmos, imaginamos que seremos "livres" de tanto desconforto.

Essa morte de quem éramos como crianças vai acontecer aos poucos e levará alguns anos, sim, eu disse anos! Além disso, toda morte traz a necessidade de vivenciar o "luto" pelas perdas. Essas perdas são necessárias e benéficas, no sentido de nosso desenvolvimento saudável, porém, o nome já diz, são perdas e vão nos causar alguns sofrimentos. Afinal, não poderemos nos transformar naquele adulto que sonhamos ou idealizamos, tipo o nosso artista favorito ou o nosso herói mais incrível, se não abrirmos mão de um corpo de criança e de uma mente imatura, por exemplo.

No entanto, **é bem difícil ser alguém que ainda não sabemos quem e, por isso, nem reconhecemos**. Alguém que os outros também não reconhecem e, por isso, não aceitam! Poderemos enfrentar situações bem delicadas e perturbadoras em que nos sentiremos vulneráveis e frágeis, e seremos criticados por isso, algumas vezes, seremos humilhados ou abusados, não apenas por adultos despreparados e insensíveis, mas também por colegas e professores. Infelizmente! Outras vezes, quem sabe, já nos preparando para o pior, devido a experiências anteriores, adotaremos atitudes de defesa e proteção do tipo "ataco antes que me ataquem" ou "a melhor defesa é o ataque".

Seremos criticados também por isso. Então, não saberemos como agir e reagir e viveremos um sentimento de ambivalência difícil e cruel porque tal estado nos fará desgastar muito da nossa preciosa energia. E nos sentiremos cansados, chateados e mais inseguros, buscando, por vezes, um esconderijo que nos faça "desaparecer", ao menos por algum tempo. Esse esconderijo poderá ser nas mais variadas formas, como vestir-se com roupas largas e soltas, deixar cair o cabelo no rosto, assumir que somos "diferentes e estranhos" mesmo (!) e que não pertencemos a nenhum tipo de rótulo ou padrão, que nem sequer somos meninos ou meninas, somos apenas quem somos... mesmo que a gente não saiba o que significa esse "quem somos".

O afloramento da sexualidade nos trará medos e dúvidas como: Será que já somos capazes de ter uma relação sexual? Se assim for, será que somos adultos, será que podemos "realizar" isso e ir em frente? Mas, ao mesmo tempo, nos sentiremos despreparados para essa situação, envergonhados, tímidos e constrangidos até mesmo quando o assunto surgir em família ou entre amigos. É que estaremos vivenciando a manifestação de mudanças hormonais que nos dão a condição de ter uma relação sexual, do ponto de vista físico, porém ainda não estaremos maduros do ponto de vista emocional, por isso os medos e a insegurança. Neste caso, tais sentimentos são sinais que nos indicam que precisaremos caminhar mais um pouco, talvez por alguns anos, até realmente estarmos maduros para assumir um relacionamento que inclua a vida sexual ativa.

Na adolescência, teremos alternância de humor, de sentimentos e de emoções, ora nos sentiremos superbem e capazes de fazer qualquer coisa como os adultos, acreditando que nada de errado irá nos acontecer, ora nos sentiremos "um nada", que não "prestamos para nada" e que dependemos dos pais/adultos para tudo. (Essa alternância de sentimentos pode ocorrer num mesmo dia.) Às vezes seremos tomados por uma sensação absurdamente forte de tristeza, solidão e desamparo. Parece que ninguém no mundo nos entende e que essa situação irá durar para sempre, como se tivéssemos mergulhado numa água escura sem possibilidade de voltar à tona! Já num outro momento, talvez sejamos tomados por uma sensação de pura alegria e até de euforia, entusiasmados com uma ideia, um sonho ou apenas pelo simples fato de que teremos um encontro com amigos no fim de semana. Será bem natural passar por essas alterações de humor e de sentimentos, embora não se possa dizer que será agradável e, muito menos, que os pais e os adultos irão nos compreender.

Passada a pré-adolescência, entraremos, um pouco "calejados" e acostumados com a situação desconfortável de "ser diferente sem saber quem se é", na próxima fase, que se chama adolescência e que irá dos 13 anos até mais além da maioridade, que se dá "oficialmente" aos 21 anos de idade. Mas já se considera que essa fase está mais estendida e pode ir até os 28 anos, mais ou menos.

No entanto, durante todo o longo período que vai da pré-adolescência até a chegada da maturidade, estaremos mais ou menos sujeitos a sentir vontade de parar tudo e nos retirar para um lugar fora do tempo, chamado "nosso mundo". Como diz a personagem Mafalda, dos quadrinhos:

"Parem o mundo que eu quero descer!".

Por outro lado, é na adolescência que teremos a oportunidade, tanto nós quanto nossos pais, de reviver e também resolver todos os conflitos mal resolvidos ou não resolvidos na infância. Tudo volta e vem nos visitar, sim! Portanto, trata-se de uma fase de oportunidades incríveis, se houver maturidade por parte dos pais e disposição de todos no sentido de dialogar e realmente encontrar soluções, entendimentos, novas formas de ver, de sentir e de se relacionar dali para a frente. Se todos quiserem, mas mesmo assim estiver difícil, sempre é válido buscar a ajuda de um bom terapeuta!

É também na adolescência que estaremos vivendo com força total o vislumbrar de nossos sonhos, o despontar de nossa missão de vida e muita inspiração associada a uma energia e vibração inigualáveis. **O que precisamos, nessa fase, é tomar consciência de que os sonhos devem nos guiar e inspirar sempre, mas que, para realizá-los, teremos que aprender a ter paciência e desenvolver disciplina.** Além disso, entender algumas regras básicas e fundamentais para a boa e saudável convivência aqui no Planeta Terra, tais como: para resolver conflitos, é preciso dialogar e não adianta brigar nem agredir, fazendo o que, muitas vezes, os pais e os adultos fazem com a gente. Para dialogar, é essencial saber ouvir, de verdade, o outro; respeitar as pessoas mais idosas e sua experiência; respeitar os sinais de trânsito; considerar, honrar e respeitar a própria vida e a vida alheia como um valor fundamental; respeitar os horários combinados e, se não puder cumprir, se habituar a avisar; esperar que, primeiro, as pessoas saiam de uma porta ou elevador para, depois, entrar; fazer gentilezas simples, como dar bom-dia com um sorriso, que encantam e transformam as vibrações de qualquer pessoa ou ambiente, entre muitas outras regras. E, sem dúvida, teremos também de ensinar muitas outras coisas por aqui, como, por exemplo, o sentido do "nós, antes do eu", o respeito à natureza, a generosidade, a solidariedade, o Amor Maior, o respeito à diversidade, entre outros valores elevados que foram esquecidos neste planeta.

É na adolescência também que viveremos grandes e profundas paixões, que nos enamoraremos de artistas e ficaremos loucos ou loucas a ponto de invadir o camarim, de gritar na janela do hotel onde eles estão, de tatuar seu nome e seu rosto como se fosse a única coisa e a mais importante a fazer naquele momento, na vida. Apaixonar-se é maravilhoso e exercitar, experimentar as relações com um parceiro romântico faz parte natural de nossa passagem da adolescência à vida adulta, até que possamos definir algumas escolhas quanto ao estilo de vida que desejaremos ter, se ele vai incluir um parceiro ou parceira romântica e quando será. Apesar de que esse "quando" não estará nunca sob o nosso absoluto controle, porque as coisas do coração pertencem a uma outra esfera... mas isso iremos aprender passo a passo, sentindo o caminho com nossos próprios pés.

Uma dica valiosa é passar a adolescência sempre acompanhado de boa música, porque a música é uma companhia que só nos faz bem, já que pode traduzir e acalmar nossa dor, desvendar nossos sonhos e desejos, espantar nossa tristeza, preencher um vazio na alma, expressar nossa revolta e indignação e acalentar nosso coração solitário e machucado. Música é terapia, música cura, música transforma! Compartilho com você uma música que fez um pouco de tudo isso comigo ao longo de minha adolescência e que, até hoje, me faz bem ouvir e cantar a todo o pulmão. Experimente!

Meu mundo e nada mais

Guilherme Arantes

Quando eu fui ferido, vi tudo mudar
Das verdades que eu sabia

Só sobraram restos e eu não esqueci
Toda aquela paz que eu tinha

Eu que tinha tudo, hoje estou mudo, estou mudado
À meia-noite, à meia-luz, pensando
Daria tudo por um modo de esquecer

Eu queria tanto estar no escuro do meu quarto
À meia-noite, à meia-luz, sonhando
Daria tudo por meu mundo e nada mais

Não estou bem certo se ainda vou sorrir
Sem um travo de amargura

Como ser mais livre, como ser capaz
De enxergar um novo dia

Preciso esclarecer o que significa, em nosso entendimento, a boa música, já que existem, atualmente, músicas que nem merecem ser assim consideradas. A boa música possui qualidade de letra, ritmo, melodia e arranjos; promove nas pessoas emoções e sentimentos sempre elevados, como alegria, leveza, paz, harmonia, êxtase, sensação de flutuar, sorrisos. Quando estamos diante da boa música, os batimentos cardíacos se harmonizam, a respiração se equilibra, a mente se oxigena, somos inspirados por boas ideias e bons pensamentos, a criatividade e a intuição são ativadas. A boa música nos aproxima das outras pessoas e de nós mesmos, promovendo conexões de alma. **A boa música é capaz de aliviar o estresse, o cansaço, de transformar o humor e o estado de ânimo, sempre para melhor.**

A boa música cura a mente, o corpo e o espírito, promovendo a reintegração de todos os nossos aspectos, proporcionando a sensação de unicidade, ou seja, de ser um com todos e com o Universo.

Como me disse certa vez uma jovem de 13 anos, estudante de música, que eu atendia e que era dona de uma voz linda: "Sabe, Ingrid, a música cura, a música transforma!".

Capítulo 8
Crise de identidade

ASAS
Asas, minhas asas
já não sinto mais
minhas asas...
Mergulhei no vazio
sou apenas
um pulsar
num vai e vem
de um vento estelar.
Asas abertas
invisíveis ao ar
respiro e me atiro
sou estrela do mar.
Ingrid Cañete

Quem sou eu?!

Penso, repenso, sento, levanto e me pergunto: quem sou eu? De repente, noite que me transformei, uau! Acordei e não era mais eu! Socorro, o que aconteceu? Alguém pode me responder, me ajudar? Não encontro mais os meus pés, estou sem chão! As minhas mãos, cadê aquelas mãozinhas que ainda ontem eram as mãos de uma criança! Minha voz mudou e troca de tom sem que eu consiga controlar. Parece que agora meu corpo ficou maior do que eu e ganhou contornos novos, que definitivamente não são os meus. Comecei a me sentir estranho e nem sei bem desde quando, só sei dizer que algo muito sério está acontecendo comigo. ***Ninguém me falou nada, mas eu sei que mudei, que estou mudando...***

Coisas que antes eu gostava, como brincar, às vezes me parecem muito bobas, sem graça, e sinto interesse por coisas, digamos assim, mais adultas. Falo algo bem sério com minha mãe e ela me olha estranho, parece primeiro chocada comigo e logo depois ri e faz graça do que eu disse. Ela não me levou a sério, ficou muito claro. Que saco! Não gosto quando ela não me considera e não valoriza o que eu digo. Por que será que isso acontece?

Queria muito ter meu pai por aqui para perguntar se ele se lembra de quando tinha a minha idade. Eu queria saber se ele sentia-se assim como eu, pelo menos às vezes, um pouco sozinho, sem amigos e um estranho no ninho, um verdadeiro extraterrestre. Será que ele enxergava gente que não é daqui, como eu enxergo? Será que ele também conversava com esses seres, como eu converso? Eles aparecem mais à noite, quando estou sozinho e vou me deitar, mas depois de um tempo desaparecem e, no outro dia, não estão lá... Estranho isso, não sei explicar. Já me aconteceu de conversar com quem eu só sinto a presença, mas não vejo, sabe? A gente conversa muito, alguns têm uma luz bem forte ao seu redor, são lindos e me passam muita informação importante, dizem que vou precisar dela mais tarde. Eu não lembro de tudo agora, mas sei que está dentro de mim e que na hora certa eu vou acessar, eles me disseram que são meus amigos espirituais, alguns são meus

Guias e vão sempre me proteger. Eu não tenho medo, me sinto muito bem com eles.

Ah! Já me aconteceu de ver uns seres bem estranhos, uma vez. Eles não tinham formas humanas, eram apenas formas geométricas de luz e cores, e não falaram comigo assim, como se fala aqui, com a boca e a voz, mas sei que me disseram muita coisa importante também e depois se foram. Sei que vão voltar, mas não sei ainda quando...

Quando eu era criança, sabe, eu me lembro de ver umas bolas coloridas pelo ar, eram bem brilhantes, transparentes e sempre estavam à minha volta. Hoje, não vejo sempre, mas ainda vejo, principalmente quando me sinto bem e feliz, de boa. Um dia, falei para a minha mãe e perguntei se ela também via, e ela disse: "O que é isso, menino, tu anda vendo coisas, é? Deixa disso e vai brincar!". Lembro que fiquei chateado e me senti meio bobo e vazio. Notei que, depois disso, deixei de ver as bolas de luz coloridas por uns dias... mas depois elas voltaram, achei legal poder curtir aquilo e resolvi que nunca mais ia falar para ninguém sobre o que eu via, porque senti que não era bom eles saberem, especialmente minha mãe e os adultos. Para o meu pai, nunca falei, porque ele sempre chegava cansado em casa, a gente ficava pouco tempo juntos e ele sempre foi meio caladão, não me sentia à vontade para falar coisas minhas. **Então, o tempo foi passando e agora não sou mais criança... tudo ficou meio esquisito, porque se antes meu pai falava pouco comigo, agora, é menos ainda, parece que eu sou um bicho raro que ele tem medo de chegar perto.**

Minha mãe, ah, sei lá, ela é legal, no geral, mas não me olha de um jeito que me deixa tranquilo, ela parece que está sempre preocupada comigo, com o que eu vou fazer ou com o que ela pensa que eu posso fazer, e vejo nos olhos dela que ela não quer que eu faça. Mas ela me deixa sem jeito perto dela, parece que eu não consigo ser eu, e o pior é que nem sei direito quem eu sou... então, prefiro ir para o meu quarto, ficar quieto, lendo umas paradas que eu gosto de ciências e biologia, que eu sou ligado. Acho que um dia vou ser um daqueles cientistas que se dedicam só para ficar pesquisando e ajudando a proteger a natureza, os animais, sabe? E quando eu quero ficar sozinho é porque, na verdade, estou me sentindo sozinho mesmo, então fecho a porta do quarto e imagino que estou num lugar só meu, num planeta desconhecido, onde as leis são outras e não tem brigas, nem violência, não tem competição, nem dinheiro, e a gente só estuda, cuida das plantas, da natureza, se comunica sem palavras, só pelas ondas da mente, é tão legal. Daí me esqueço que estou aqui, na Terra, na minha casa, com pai, mãe, solidão, incompreensão. Eu só volto, assim, no susto, porque minha mãe entra que nem um furacão no meu quarto e me olha como se tivesse querendo "me pegar no flagra" de alguma coisa que só na cabeça dela existiu. Isso é bem triste quando acontece, mas eu vou levando, faz parte...

Era uma vez, vejam vocês
um passarinho feio
que não sabia o que era
Nem de onde veio
Então vivia, vivia a sonhar
em ser o que não era
Voando, voando com as asas
asas da quimera...

Esse trecho da linda poesia-música, chamada *Lenda do Pégasus*, de Morais Moreira e Jorge Mautner, aliada aos breves relatos fictícios acima, diz um pouco do que a gente vive na adolescência, especialmente, logo na sua chegada e nos primeiros anos dessa fase da vida. Descreve a chamada crise de identidade e a sensação de estranheza brutal e crescente que nos acomete, de súbito, e nos faz sentir um passarinho feio, sem rumo e sem ninho. É tão intensa e profunda essa crise que, em alguns casos, nos leva a pensar que estamos loucos ou muito perto de enlouquecer. Pior é quando os adultos próximos verbalizam tal julgamento da gente! É como se o mundo desmoronasse sobre nós, não nos deixando escolha nem espaço para sequer respirar e dizer: "Eu estou aqui e não sou louco, posso não saber bem quem eu sou, mas sou uma boa pessoa, dá um tempo para mim!".

Vamos imaginar que há bem pouco tempo éramos crianças e tínhamos tudo ou quase tudo nas mãos, sendo cuidados, protegidos, ganhando colo, carinho, afagos e podendo fazer brincadeiras sem sentido, bobinhas, e até algumas "artes", sem ser muito cobrados por isso, ao contrário, causando risos e divertimento nos adultos. E, de repente, tudo muda de um jeito radical e parece que o mundo se volta contra a gente. Não se pode fazer ou dizer uma porção de coisas porque não fica bem para um menino ou menina da sua idade, afinal, você não é mais uma criança.

Você faz ideia do que é sentir-se no meio dessa confusão, diante de mudanças corporais que você não domina, e ainda por cima tem as mudanças psicológicas ligadas às físicas? Sim, porque um fantasma nunca vem sozinho, não é?! O adolescente sente-se apavorado e daí como um passarinho feio e, quem sabe, de asas quebradas ou defeituosas... aí vêm os impulsos sexuais, mas ainda não se sabe bem como lidar e como usar tais impulsos, então, para que servem asas se não sabemos como voar? Nessa época dos tais impulsos sexuais iniciais, já nos deixaram claro, os adultos, que isso não é boa coisa, que é algo com que se preocupar, que é perigoso, pode dar doenças (doenças? como assim?) e pode gerar bebês (pode?), entre outras complicações. Daí que esse negócio de vida sexual parece muito interessante e, ao mesmo tempo, assustador. O que fazer? Seus pais não parecem dispostos nem preparados para conversar sobre o assunto. ***Você precisa se informar, porque está com a maior curiosidade e um certo medo também. E, se dá medo, também dá vontade de ir atrás, descobrir, desvendar esse mistério.***

Essa é uma fase em que o adolescente se sente totalmente desadaptado em relação a si mesmo e ao mundo, devido à dificuldade que sente de aceitar todas as mudanças. Se pelo menos soubesse quem ele passa a ser quando deixa de ser criança... isso já ajudaria muito.

As mudanças não param de acontecer e ele realmente sente como se não soubesse mais quem é, nem de onde veio, muito menos para onde vai. Enquanto essas questões estiverem soltas e sem respostas, geram desequilíbrio e, claro, muita dor e sofrimento. Afinal, é impossível alguém manter-se adaptado ao mundo e à realidade enquanto não tiver definido para si mesmo "quem é", o que representa, qual é o seu papel e que lugar ocupa dentro deste mundo. E, sejamos sinceros, os adultos não ajudam nem um pouco parecendo uns desmemoriados que nunca viveram essa fase da vida. Poupem-me, por favor! Que tal tomarem um chazinho de despertar a memória e a consciência, hein?

As coisas se aproximam de mim,
eu sigo intacto.

Juan Manuel (10 anos)

Capítulo 9

As constantes mudanças de humor nos adolescentes e a Ressonância de Schumann

Em meio a mudanças aceleradas nos padrões vibratórios da Terra, devemos salientar que esse é mais um dos fatores que distinguem a época em que vivemos e durante a qual nos chegam as novas gerações Índigo e Cristal. Os cientistas demonstraram que a frequência natural da Terra, as ondas Schumann, tem permanecido estável em 7.8 Hz (hertz) por milhares de anos. Eles afirmam que essa frequência tem influência direta, através do hipotálamo, em todos os mamíferos (inclusive os seres humanos). No entanto, informes recentes indicam que a frequência Schumann (ou Ressonância de Schumann) era de 11 Hz no ano de 2003 e segue subindo com picos de 13 Hz e, inclusive, de 15 Hz. Isso implica grandes mudanças eletromagnéticas e também mudanças aceleradas em nosso DNA, células e sistema nervoso central.

Tais mudanças e transformações aceleradas no padrão vibratório energético da Terra podem se traduzir, nos seres humanos, em frustração, instabilidade e sobressaltos repentinos de humor, além de alterações nos padrões de respostas aos estímulos do meio circundante. Em nível físico, poderão surgir diversos sintomas, como dores de cabeça "estranhas", tonturas, náuseas, inquietação nervosa, desequilíbrios emocionais, alterações nos padrões e na qualidade e quantidade do sono, distúrbios alimentares, febres atípicas sem razão aparente e que não se alteram com medicação convencional. Falando em termos cerebrais, podem ocorrer desequilíbrios energéticos nas ondas cerebrais caracterizados por uma espécie de tristeza, distanciamento, desânimo, desmotivação, sensações estranhas de não se sentir mais como parte deste plano, sensação mais forte de desencaixe em tudo que diz respeito a viver neste planeta, nesta sociedade, com seus padrões, regras e densidade. Aos adultos, recomenda-se que procurem reconhecer em si tais sintomas relacionados aos ajustes que nossa mente e nosso corpo físico precisam fazer, gradualmente, para ir se adaptando às novas frequências vibratórias do planeta. Busquem ler a respeito desse processo, também chamado de "ascensão" natural de todos nós que estamos caminhando na direção da expansão da consciência e da evolução como seres humanos e planetária.

Especial atenção deve ser dada às crianças e aos adolescentes que, além dos desafios e alterações naturais de cada fase de seu desenvolvimento, são afetados por essas mudanças. ***As frequentes alterações de humor dos adolescentes, típicas dessa fase, devem ganhar um novo olhar dos pais e professores, médicos e terapeutas, também nesse sentido***. O que, algumas vezes, se parecerá até com sintomas de depressão, bipolaridade ou mesmo Déficit de Atenção (DDA) ou Hiperatividade, na verdade, é provavelmente consequência de tais alterações da vibração terrestre. Alia-se a isso também a questão da passagem do tempo, que aqui na Terra é contada em horas. À medida que a frequência vibratória da Terra vai se elevando, também a passagem do tempo está se acelerando, tanto que, recentemente, pode-se considerar que temos mais ou menos 12 ou 13 horas apenas, por dia, embora nosso relógio esteja marcando as 24 horas, como sempre marcou. Perceba que o relógio é uma criação e uma convenção humana que cada vez menos condiz com os novos tempos e suas transformações. Daí que essa passagem muito acelerada do tempo também afeta as sensações, emoções e reações de todos nós.

Desejamos salientar o quanto estará afetando e desafiando nossos adolescentes, no sentido de que estão chegando capacitados a lidar com o tempo relativo, não linear, com o não tempo e o não espaço. Eis que os adultos estão tentando se equilibrar e continuar a fazer o que sempre fizeram dentro das "mesmas horas" que o relógio marca e, por isso, estão cada vez mais inquietos, cansados, irritados, impacientes, dispersos, estressados. E são esses mesmos adultos que, em sua maioria, ainda não tomaram consciência dessas mudanças na passagem do tempo e que teriam, como todos nós, que se readequar também a isso, revendo prioridades, selecionando cada vez mais o que é realmente urgente e importante e descartando tudo o que for superficial ou menos importante. Eles estão se relacionando consigo mesmos como? Atenção, pois para se relacionarem com os jovens de agora será necessário e urgente se reciclarem, e seria ótimo que passassem a pedir ajuda e a aprender com eles. **Os jovens dominam as habilidades de viajar no tempo, entre as dimensões, encolhendo e também expandindo o tempo. Eles podem nos ajudar muito no sentido de alcançar mais objetividade, de perceber o essencial das questões e situações, de fazer logo as perguntas certas, de ir direto ao ponto, de perceber a verdade que está por trás das coisas e das pessoas. Eles nos ajudam a encurtar a distância entre pensar e agir. Que tal aprendermos com eles?** Essa é uma das muitas formas de ajudar os jovens a se adaptarem na Terra e conseguirem estar aqui por mais tempo ou pelo tempo necessário para cumprirem seus propósitos e missões.

Algumas dicas e orientações práticas para ajudar adultos, crianças e jovens a passar por tais mudanças:

– Organizar e simplificar a vida para poder lidar melhor com as oscilações de humor e de maior fadiga ou de alta energia.

– Alimentar-se de forma saudável e nutritiva. Buscar alimentação natural, orgânica, viva e pesquisar sobre Nutrição Evolutiva.

– Tomar muita água pura, cuidando para que o pH seja de pelo menos 7,5 (alcalino), já que precisamos alcalinizar nosso organismo para prevenir doenças.

– Fazer exercícios de aterramento ou enraizamento para fortalecer seu contato com a Terra e sentir-se mais confortável aqui. Por exemplo, respirando fundo e visualizando que saem raízes de seus pés, que se dirigem ao centro da Terra e lá se firmam e fortalecem, nutrindo-se da energia da Mãe Terra. Imaginando a seguir que eleva seu tronco e ramos aos céus, crescendo na conexão com a Fonte, com Deus/Amor/Vida. Outra boa dica é comer alimentos que nascem debaixo da terra, tais como raízes, assim como alimentos de coloração vermelha e alaranjada.

– Aprender técnicas antiestresse de respiração consciente.

– Apoiar-se em músicas tranquilas, sons terapêuticos.

– Buscar a Terapia Craniossacral como auxílio (pesquise e busque profissionais fisioterapeutas com boas referências em sua região).

– Buscar a Homeopatia e os florais como coadjuvantes preciosos.

– Buscar a técnica de limpeza, calibração e ativação de seu campo eletromagnético, chamada EMF (*Eletromagneticfields*).

– Fazer sessões de Cura Reconectiva e sua Reconexão com profissionais credenciados e devidamente qualificados e bem recomendados.

– Fazer sessões de Breema, excelente forma de relaxar, desestressar e se interiorizar, reorganizar internamente e reequilibrar.

– Praticar atividades físicas que auxiliem a canalizar de forma positiva e construtiva sua energia vital, o que vai lhe ajudar a encontrar o reequilíbrio mental, emocional e espiritual. Lembre-se de que as preocupações, problemas, medos e tensões, bem como toda a energia excedente e estagnada, saem pelos movimentos, trazendo uma sensação de leveza e bem-estar geral que será conquistada com a prática regular. Aliás, uma boa dica seria você e seus filhos, ou você e seus pais, praticarem atividades físicas juntos, dedicando mais tempo e maior qualidade ao convívio diário!

– Fazer alinhamentos energéticos e meditações regularmente para se reequilibrar! A técnica de EMF, a Terapia Craniossacral, Breema e a Cura Reconectiva são ótimas sugestões nesse sentido!

– Fazer uma consulta de seus registros akáshicos para acessar informações acerca da história completa de sua alma, ou seja, passado, presente e futuro da alma durante todas as suas vidas, não apenas a atual.

Capítulo 10
Perdas

Me entrego ao cantar
de um pássaro tardio
é um silvo tristonho
de um passarolar
Canto teu canto
e cantas o meu
Não posso te dar
o que já não é meu
nem tu poderás
me entregar o teu céu
Somos cartas perdidas
num voo sem véu
ouço o canto do pássaro
ouço e me calo...
Ingrid

...O adeus ao lar foi estranhamente fácil a mim... estava assombrado comigo mesmo. Sempre fora sentimental... Agora estava totalmente mudado. Indiferente ao mundo exterior, passava os dias ouvindo o rumor das correntes obscuras e proibidas que fluíam em mim, subterrâneas. Meu crescimento se acelerara muito nos últimos seis meses... Todo o amável atrativo do adolescente se havia retirado de mim.

Hermann Hesse – Demian

Perder a infância parece pouco para você?

Deixar ir, para sempre, aquela vida de sonhos e brincadeiras, de correr solto na rua, de pular em cima da cama até cair de tanto morrer de rir, de fazer e dizer coisas inconsequentes só por simples expressão da alegria de ser, de se divertir, fazer perguntas e mais perguntas de pura curiosidade como um explorador que recém desceu de sua nave, num mundo novo e diferente, jogar corrida com os amigos e ver quem vai ganhar um sorvete ou aquele bolo de figurinhas para completar o seu álbum, se atirar numa poça de lama e sentir o prazer de se molhar e se energizar naquele pedacinho de paraíso, botar a cabeça para fora da janela do carro só para sentir o vento bater no rosto e fechar os olhos imaginando que estamos voando, jogar pedrinhas no lago ou no riacho perto de casa, ajudar o pai a pescar, ajudar a mãe a cozinhar, procurar seu ninho de Páscoa escondido no jardim, ir para escola só para ver nossos amigos, faltar aula e ganhar aquele carinho e aquela comida especiais da mamãe e do papai, sonhar acordado, acreditar nos sonhos, acreditar que os adultos não mentem, rezar para chegar o Natal e o aniversário, pular no colo da mãe ou do pai quando sentir medo ou susto... e muito mais. Perder a infância e tudo o que ela representa, mesmo que ela não tenha sido exatamente assim, feliz e perfeita, é muito difícil. É uma tremenda perda e a sensação que fica por um bom tempo é de um vazio e de uma dor que dói lá dentro e nenhum remédio faz passar. É uma dor de morte e o que vivemos durante a adolescência é de fato um luto pela partida da infância. É uma parte de nós que se vai e ficamos abandonados num barco que inicialmente parece sem leme, sem direção, sem manual de instruções e, ainda por cima, sob fortes ventos e com tempestade à vista.

Perder-se da infância é perder-se de si mesmo quando ainda se estava em construção e se tinha o álibi de ser criança. Perder-se de si mesmo é o fim, é uma morte em vida. É assustador! Nosso projeto simplesmente desaparece e ficamos à mercê de emoções e sensações cada vez mais estranhas, no sentido de desconhecidas mesmo. Nosso corpo físico começa a mudar e parece fugir de nosso "suposto" controle. Nossas formas e contornos vão se desenhando e se reescrevendo até que nos olhamos, um belo dia, e somos outra pessoa! Como assim? Por dentro, o sentimento e os pensamentos parecem nos indicar que ainda somos os mesmos, mas não (!), o espelho nos mostra outra realidade! É verdade que estamos tendo pensamentos e sentimentos "um pouco" diferentes, de vez em quando. E também percebemos coisas que antes não percebíamos nas pessoas, na realidade e parece que estamos mais... mais críticos agora. Ficamos com a voz diferente e o que escutamos não confere mais com aquela criança que há pouco provocava nos adultos olhares e respostas bem mais compreensivas e afetuosas. Em alguns dias, nos sentimos como o "patinho feio" e vamos dormir sonhando em acordar desse pesadelo e voltarmos a ser quem sempre fomos. Já em outros dias, podemos sentir que até ***pode ser bom ser diferente*** e um ser maior ou que já não é mais criança, porque percebemos que temos algumas concessões aqui e ali, como poder ficar na sala de noite com os adultos até mais tarde ou ver um filme que antes nos era proibido. Mas logo nos deparamos com a inconstância e a impermanência da vida!

Porque essas concessões acontecem às vezes, só às vezes. Já que estamos a confirmar que os adultos, além de mentir, são incoerentes, dizendo num dia uma coisa e no dia seguinte fazendo outra bem diferente. Depois eles nos dizem outra coisa e não a sustentam em suas ações e exemplos. Os pais, os adultos, não sabem como agir com a gente. **Ora nos dizem para fazer certas coisas e tomar determinadas atitudes porque já não somos crianças, somos grandes, ora esbravejam que não podemos ir a certos lugares nem fazer certas coisas, pois ainda não somos grandes o bastante nem maduros o suficiente.** Eles falam assim: Menino(a), o que você pensa que está fazendo? Onde pensa que vai a essa hora?! Não mesmo, você é muito novinho para sair agora e para ir a esses lugares. Deixa isso para quando ficar adulto e souber o que está fazendo!

Eles não imaginam como dói ouvir tudo isso e ter que se calar, aceitar e se adaptar. Claro que, dependendo de nossa história de vida, de nossa personalidade e temperamento, aos poucos, vamos encontrando, ou pelo menos tentamos encontrar, formas de reagir e de enfrentar os pais e de dizer "umas verdades" para eles. Alguns adolescentes buscam descarregar sua raiva e revolta na leitura e nos livros, outros mergulham no computador e na rede virtual, outros ainda se entregam às drogas para fugir de toda a tensão que significa ser adolescente no mundo atual, feito de caos e de profunda crise de valores e de identidade do próprio ser humano como espécie. Há também aqueles jovens que se refugiam em seu mundo da fantasia e em seus devaneios impenetráveis para os adultos. Lá eles parecem encontrar alguma segurança e estabilidade, como se fossem passarinhos encolhidos dentro do ninho, à espera do alimento e do aconchego das asas maternas. Saudades da infância que não volta mais e que a cada dia parece mais distante. Os adolescentes ficam flertando com a sua fase infantil e voltam, muitas vezes, a se comportar como se fossem crianças fazendo jogos e brincadeiras e, por isso, se metendo em encrencas, porque, ao fazerem isso, são julgados pelos adultos, que não admitem mais tais comportamentos em quem não é mais criança! E, logo, esses mesmos jovens passarão pela dor do arrependimento, porque também querem ser adultos e tratados como adultos. Percebem que "foi mal", como dizem, hoje em dia, e querem até voltar atrás, mas não dá. O que está feito, está feito. E, a menos que tenham passado em muito os limites do bom senso com suas brincadeiras, logo essa sensação passará e dará lugar a outras sensações e sentimentos. Porque a oscilação de humor e de estado de ânimo é uma constante na vida do adolescente. Isso acontece devido às alterações hormonais que fazem parte dos ajustes desta etapa de desenvolvimento e que podem se intensificar, dependendo da personalidade, do temperamento do jovem. Pesam muito, aí, também as condições de seu ambiente familiar e especialmente o grau de equilíbrio e de saúde emocional de seus pais, o maior ou menor apoio e suporte psicológico oferecido por eles, ao seu filho adolescente.

Afinal, perder, mesmo que pouco a pouco, seu corpo de criança, sua voz infantil, sua pureza e, gradualmente, também sua ingenuidade provoca muita dor, uma dor de morte. A morte de uma parte de si mesmo, de seu ser que, embora seja de essência espiritual, perde parte de sua representação física original. A morte de parte de seu corpo físico, como toda e qualquer morte, gera, naturalmente, o sentimento de luto e traz a necessidade de viver e de elaborar adequadamente esse luto. Quando alguém está de luto, precisa muito receber apoio, consolo, carinho e ajuda constante de figuras próximas e amigas para que consiga passar por essa fase e ir assimilando e aceitando, mais e melhor, a nova condição de vida.

Capítulo 11
Luto

A Rua dos Cataventos
guarda memórias
dos tempos
que não vivi
do agora sem
sentimento
da paz guardada
no peito
protegidas de tanto
vento
Na Rua dos Cataventos
deixei os bons pensamentos
e a criança
que eu fui
sentada
ali bem no centro
pra onde jurei
voltar
promessas feitas num
tempo
em que a palavra
valia mais...
A Rua dos Cataventos
existe em algum
lugar
eu vivo a acreditar
que a ela irei
voltar...

Ingrid Cañete

A morte é uma experiência quase igual ao nascimento. A morte física do ser humano pode ser comparada à passagem da lagarta à forma de borboleta, abandonando o casulo para bater asas e, finalmente, após um período de escuridão e solidão, assumir outra forma de ser. Assim como o corpo humano é transitório, também o corpo físico da criança é transitório do ponto de vista de sua evolução. Será necessário, ao adolescente, suportar algum tempo, especialmente os primeiros anos de sua adolescência, de enfrentamento com sua própria "sombra", representada por todos os aspectos e características que habitam nele como potenciais, mas que ele ainda desconhece. Enquanto estiver no casulo, pode-se dizer que estará vivendo a *noite escura da alma*, expressão usada na Psicologia Transpessoal para referir aqueles períodos de vida onde há um arrebatador mergulho nas profundezas da alma e do espírito, de onde, depois de penar e sofrer dores terríveis, retornamos completamente transformados e olhamos para tudo e para todos de forma muito mais sensível e madura. Pode-se afirmar que retornamos dessa experiência mais iluminados, já que adentramos em um novo e mais expandido estado de consciência. Durante a existência, passamos por muitas experiências de noite escura da alma, como parte do processo de desenvolvimento e evolução. Cada pessoa vive tais períodos de modo único e transforma-se na medida do que lhe for possível, de acordo com os limites de sua estrutura física, emocional e espiritual. Certo é que, durante tais crises e sua experiência, para que o processo seja frutífero e eleve a pessoa a um novo e mais elevado patamar de consciência, faz-se necessário um ambiente compreensivo, acolhedor e que ofereça suporte e acompanhamento adequados. Cada experiência de "noite escura da alma", que também pode ser entendida como uma "emergência espiritual", pode variar de duração e intensidade de pessoa para pessoa. Em alguns casos, será aconselhável contar com ajuda de um profissional preparado para lidar com tais condições, de preferência um terapeuta de formação humanista/transpessoal. No entanto, qualquer pessoa que se interesse e se dedique a estudar e aprender, fazendo leituras como os livros *Emergência espiritual* e *A experiência da autodescoberta*, ambos de Stanislav Groff, poderá desenvolver condições para ajudar um filho, um amigo ou alguma pessoa de sua comunidade que necessite de ajuda. Recomenda-se muito esse estudo e preparação aos pais de adolescentes, já que as vivências de perdas e luto, naturais ao processo de adolescer desses jovens, têm muito em comum com as tais experiências da "noite escura da alma" ou "emergências espirituais". Se considerarmos ainda as novas e diferentes características das novas gerações, também denominadas de Índigo-Cristal, tal necessidade de estudo e preparo torna-se ainda mais urgente!

Afirma Groff: *as experiências com OVNIs, as experiências místicas, os contatos visionários xamânicos são tanto um estímulo para o nosso próximo nível de consciência quanto o são as premências sexuais e o rápido desabrochar para a passagem do adolescente da infância para a idade adulta. Ambos os tipos de processo representam a morte de um estado de ser ingênuo precedente.*

Ficam evidentes a importância, a profundidade e a gravidade das experiências da morte e do luto vividos na passagem da infância para a adolescência em direção à vida adulta. É algo muito forte e intenso, capaz de abalar as estruturas e causar sérios danos ao indivíduo, caso ele não venha de uma história de vida familiar minimamente equilibrada, saudável e feliz. Isso significa que **a capacidade de lidar saudavelmente com as perdas e o luto na adolescência depende muito da história familiar, da gestação e de como foram vividos os primeiros anos da infância.**

Outro fator que contribui para uma elaboração adequada e saudável deste luto é a história de sua alma. Se o jovem for uma alma antiga e com muita bagagem de experiências de aprendizado e alto grau de maturidade, certamente terá grandes chances de enfrentar os maiores e mais difíceis desafios desta fase da vida, com tenacidade, resiliência, criatividade e compaixão, transcendendo as barreiras e as forças contrárias das pressões familiares e sociais e de seus próprios medos e fantasias, de modo a ressurgir das cinzas como a fênix, mais fortalecida e sábia, pronta para seguir viagem e enfrentar novos desafios, alçando voo ao seguinte e mais elevado estado de consciência.

Outro aspecto da morte é que, quando se morre, se abandona o corpo e a alma vai para uma outra dimensão da vida chamada espiritual, mas segue podendo comunicar-se e mandar sinais para os que continuam vivendo num corpo físico, na Terra. Isso está comprovado por diversos estudos e pesquisas científicas. ***Já na adolescência, o que parece acontecer é algo um pouco estranho, porque a morte é parcial e o jovem segue tendo um corpo físico que, no entanto, não é mais o mesmo.*** Então, experiências bizarras de sentir-se fora do corpo e passeando no espaço poderão ocorrer, assim como o não se reconhecer momentaneamente e sentir que viaja por outras dimensões e comunica-se com outros seres extrafísicos, especialmente em momentos em que as pressões externas e a dor do luto aumentam e há necessidade de encontrar um refúgio mais seguro. São momentos de puro estranhamento em relação a si mesmo. O interessante é que, nesses momentos, o jovem vive a possibilidade de transcender seu corpo físico e os limites da existência física, indo diretamente, e na velocidade da luz, para dimensões onde o tempo e o espaço absolutamente não existem. Tais experiências são vividas, na maioria dos casos, na solidão e no isolamento, e dificilmente serão reveladas pelo adolescente, que, além de não entender muito bem o que está se passando, sente receio de que o tomem por louco. E não se pode tirar sua razão, uma vez que conhecemos muitos casos de jovens adolescentes que, ao mencionar suas experiências ligadas à sua dor, acabam internados e tratados como malucos, sendo medicados e, muitas vezes, se perdendo de vez de quem são ou da possibilidade real e legítima de viver suas emergências espirituais com adequado **acolhimento, apoio e compreensão**.

Tudo isso e muito mais pode acontecer e não ser sinal de doença, loucura ou patologia. São experiências profundas, porém passageiras, como outras típicas da adolescência, as quais fazem parte dessa transição. Cabe também esclarecer que, além dessas experiências típicas, relacionadas às perdas e lutos dessa etapa do desenvolvimento, acontecem, concomitantemente, experiências genuínas de saída do corpo, de visões místicas e espirituais, de comunicações com seres de outras dimensões, comunicações telepáticas, leitura quântica, percepções extrassensoriais, clarividência, sensitividade, entre outras. Tais experiências podem mesclar-se e confundir ainda mais os jovens e seus pais, mas o certo é que, se forem bem acolhidas, sem medo nem rechaço, buscando a compreensão, o estudo e até mesmo a ajuda de profissionais capacitados, com o amadurecimento e com o passar do tempo, ficarão mais evidentes o que são os dons e os talentos e o que eram apenas experiências típicas do processo de transposição de uma fase evolutiva a outra.

Embora não seja exclusividade dos adolescentes, eles, por excelência, passam por muitas experiências, digamos, "extraordinárias" e precisam de toda a ajuda e compreensão para não se desequilibrarem durante o processo. Há que se auxiliar os jovens a fugir, por um lado, da tendência a sentirem-se inferiores, ou mesmo loucos, por medo de serem ridicularizados pelos outros, devido a tais experiências, e, por outro lado, da tendência a inflar o ego, sentindo-se fora do comum ou mesmo um profeta cósmico. ***É fundamental buscar o caminho do equilíbrio ou, como dizem os budistas, o caminho do meio.*** Trilhar o caminho da calma, a trilha suave e firme de quem fica nos bastidores se autodescobrindo, se reconhecendo, amadurecendo e se preparando. *Trata-se do caminho invisível da aquisição do conhecimento, a trilha lenta da alquimia*, como sugere Groff, *já que o trabalho da alma requer tempo e paciência.*

Yoñlu ou Vinícius Gageiro Marques, um jovem gaúcho, extremamente talentoso, e que partiu muito cedo, com apenas 16 anos, deixou-nos um legado de lindas músicas, com letras e melodias incríveis. Ele se foi em meio às suas vivências envolvendo o luto da adolescência. Vejam algo que ele disse e que traduz sua absoluta dedicação e entrega à música, como forma de lidar com suas perdas, dores e luto:

Eu acredito que a cadência e a harmonia certas, no momento certo, podem despertar qualquer sentimento, inclusive o de felicidade nos momentos mais sombrios.

Capítulo 12
Depressão

Si vivimos en una epidemia de corrupción, violencia, maltrato, depredación sanitaria y educacional, anomia, inoperancia judicial, violencia doméstica y callejera, crímenes e inseguridad, quizás sea oportuno preguntarnos si no se habrá naturalizado dramaticamente en nuestra sociedad esta idea de que el otro no es una persona (un prójimo, un semejante, palabras en desuso si las hay), alguien con quien puedo tener muchas y grandes diferencias pero a quien me une una similitud esencial: somos seres de la misma especie, una especie cuyos individuos empiezan a perder identidad y a correr peligro de extinción cuando se desconocen, se desvinculan y se coisifican mutuamente. Quizá estemos más impregnados de lo que creemos, percibimos y admitimos de esta creencia según la cual el otro me sirve o me estorba. Si me sirve lo uso, si me estorba me deshago de él. No es una persona, es un objecto.

Sérgio Sinay

Em um mundo profundamente enfermo e caótico como este em que vivemos, este mundo que criamos para nós, é certo que as pessoas com tendência à depressão têm motivos de sobra para entrar e não querer sair do estado depressivo. O que dizer dos jovens adolescentes, então?! Eles que estão tentando assimilar um novo corpo, uma nova mente, que não funcionam mais como o corpo e a mente de uma criança que já foram. Eles que vivem o luto das perdas e da morte de um "eu" e que sentem a dor e a tristeza de ter que prosseguir enquanto um verdadeiro terremoto se abateu sobre e, por que não dizer, dentro de suas cabeças.

Entrar na adolescência é morrer para a infância e nascer para uma nova fase da vida, que marca um desprendimento maior do ser, um avanço em direção à autonomia e individualidade. Quando nascemos, somos totalmente dependentes e nossa relação com a mãe é, portanto, simbiótica. À medida que vamos crescendo, caminhamos em direção a uma maior individuação. Gradualmente deixamos de depender da mãe para tudo e vamos aprendendo a nos defender sozinhos, no sentido de comer quando temos fome, fazer nossas necessidades fisiológicas quando sentimos que é hora, dormir quando temos sono, escolher brincar ou conversar e com quem, enfim, é um caminho natural, este da existência, que nos conduz a nos tornarmos quem realmente somos: indivíduos conscientes, com autonomia e livres para escolher. Parece simples, mas não é, particularmente na adolescência. Por quê?

A questão é que, durante os primeiros anos, provavelmente dos 12 aos 16 anos, mais ou menos, vivenciaremos mudanças tão intensas quanto incompreensíveis para nosso cérebro, que deixa de funcionar como a mente infantil e passa a necessitar de "alimentos", digamos, diferentes para se desenvolver e amadurecer. Enquanto a criança aprende através da imitação e do exemplo dos adultos, o adolescente aprenderá justamente através do oposto, que significa "Não, eu sou diferente! Eu quero, posso e vou fazer diferente!". A mente do adolescente necessita dizer não, questionar, se rebelar, contrariar e experimentar formas diferentes de pensar, de dizer e de fazer as coisas. Graças a Deus que é assim, porque, se não fosse desse jeito, nada no mundo mudaria, NADA! Imagine se os adolescentes continuassem aprendendo apenas através da imitação dos adultos, como teria sido a nossa história? Talvez estivéssemos ainda na idade da pedra! Os adolescentes têm por que serem como são. Seu propósito é questionar, se revoltar, dizer que não e propor novas formas de ver, perceber, pensar e fazer, para só assim promover as mudanças, as invenções e as descobertas em todas as áreas. Eles alimentam nossos avanços e progressos, têm um papel determinante na evolução humana!

Então, de onde surge a depressão nos adolescentes?

É exatamente da falta de entendimento de si mesmo, no início das transformações físicas, hormonais, mentais e emocionais, por um lado, e, por outro lado, da falta de entendimento e da não aceitação dos adultos e da sociedade em geral. Os adolescentes sentem-se muitas vezes como verdadeiros párias, marginalizados dentro e fora de casa, tendo que dar conta de se olhar no espelho e não se reconhecer, de olhar para dentro e não se entender e de olhar para fora e perceber que não é aceito do jeito que é ou que está sendo. Ele se vê refletido nos olhos-espelhos dos adultos, sejam pais, professores, comunidade, de forma distorcida, e absorve essas distorções para si. Ou seja, como está em formação e muito inseguro, aceita esses reflexos dos espelhos dos outros, que são as imagens que esses outros têm ou parecem ter dele, como reais, e assume que é assim. Para agravar a situação, o adolescente luta entre dois mundos, um baseado na dependência infantil em relação aos pais e adultos, e o outro, excitante e assustador, da independência e da autonomia, onde terá que tomar decisões, escolher por si. Mas ele não está pronto ainda para isso, embora, em muitos momentos, vá oscilar e achar que está, e então vai decidir algo para logo depois sentir medo, dúvida e sinalizar, em seu comportamento, por vezes bem infantil, a necessidade de que um adulto decida por ele, lhe ajude e proteja.

Tudo isso vai acontecer inúmeras vezes, serão lutas diárias e embates constantes entre esses dois mundos, o que, além de muito desgastante, frustra e ameaça. O jovem sente-se, muitas vezes, como uma espécie de ameba, passivo, sem função no mundo, sem poder agir e canalizar toda a sua energia, criatividade e dons para algo que lhe faça sentido, que lhe permita sentir-se útil, vigoroso e vivo. Se os adultos que o cercam ainda ficarem criticando-o e dizendo que não faz nada, que não presta para nada, que é um inútil, preguiçoso e vagabundo, aí a coisa fica realmente muito pior e advirá, além da tristeza, possivelmente, a depressão. Os sintomas típicos entre os adolescentes são os gestos impulsivos e inconsequentes, os atos de rebeldia carregados de agressividade e muitas vezes destrutivos, praticados, geralmente, junto com o grupo de colegas ou amigos. *O chamado "efeito grupo" torna-se bastante presente nessa fase da vida, a ponto de o grupo assumir "maior poder e importância" do que os pais e a família.* Porque o jovem adolescente cansa de sentir-se um inútil, passivo, e faz coisas visando a colocar para fora toda essa energia, e também para mostrar a si próprio e aos outros que tem voz ativa, que é atuante neste mundo!

Na adolescência, o grupo e depois a namorada, juntamente com o trabalho, passam a ocupar, gradualmente, o lugar dos pais. Serão esses os "substitutos" dos pais nessa caminhada em direção à autonomia e à vida adulta.

Como sentir-se útil e importante?

Eis uma questão fundamental, do ponto de vista existencial, principalmente em um mundo que, mesmo nos lares, entre as famílias, é tão carente de amor, de respeito, de acolhimento, de equilíbrio, de paz e de harmonia. Como apreender e interiorizar significado para a própria existência, se o vínculo afetivo é tão frágil ou inexistente entre pais e filhos? Como acreditar que é possível encontrar algum sentido para se estar vivo num mundo tão violento, injusto e caótico, se nem mesmo em casa encontramos razões suficientes para querer continuar vivo? **Como manter-se minimamente motivado para seguir acordando, dia após dia, se sequer se sabe quem se é?** E se, muito menos, sabemos o que viemos fazer aqui? E por que não estamos sendo amados, queridos e aceitos, se há pouco tempo éramos os queridinhos da mamãe, do papai, dos avós, dos tios e agora...

Ou, numa outra hipótese, por que, mesmo não tendo sido o queridinho enquanto criança, havia um tratamento que permitia certos comportamentos, que admitia e "perdoava" gestos e atitudes como sendo "coisa de criança", e agora, neste túnel de passagem, nada mais é concedido?

Para muitos adolescentes, sua visibilidade passa a ser "sazonal", já que são notados e chamados a participar para fazer algumas tarefas de interesse dos adultos, mas não são vistos nem chamados a participar com opiniões e decisões em outras ocasiões.

Tal situação tende a ser agravada quando um dos pais ou ambos se mostram inseguros e fracos ao exercer seus papéis ou, ainda, quando existe uma inversão e/ou indefinição de papéis dentro da família. Nesse contexto, os adolescentes terão dificuldade em se organizar e definir limites internamente, o que poderá conduzir a uma desorganização psíquica.

É importante destacar que haverá adolescentes que, por diversos fatores, como personalidade, padrões herdados da família e condições socioambientais, poderão entrar numa depressão durante essa fase e não conseguir sair dela, assim como existem adolescentes não depressivos. No entanto, todos os adolescentes têm ou terão, uma ou mais vezes, acessos de tédio, tristeza, recolhimento em si mesmo, morosidade ou sentimento de vazio que fazem parte da crise necessária dessa fase do desenvolvimento.

Caberá aos **pais e aos adultos estarem atentos aos sinais** mais frequentes desse estado de ânimo para poderem acolher, compreender e apoiar. As baixas nos resultados escolares, assim como alterações de humor drásticas e persistentes, agressividade, irritabilidade, comportamentos violentos, dependência excessiva ou períodos de recolhimento e solidão duradouros, distúrbios do sono, redução da velocidade de raciocínio e dificuldades de concentração, desinteresse e apatia, são alguns desses sinais que merecem sempre muita atenção.

O suicídio na adolescência

Um dado impressionante de uma pesquisa na população adolescente francesa informa que o suicídio é a segunda causa de morte na faixa etária que vai dos 18 aos 24 anos, só perdendo para os acidentes. Além disso, desde os anos 1960, a mortalidade suicida dobrou, tornando-se estável a partir de 1985, relata a Dra. Stéphanie Clerget. Cabe salientar que as tentativas de suicídio são bem mais numerosas: 40 mil jovens são hospitalizados por esse motivo. Tais tentativas são, muitas vezes, disfarçadas em "acidentes", como, aliás, acontece com as crianças. Nem sempre os adolescentes que apresentaram comportamentos de buscar a morte intencional são adequadamente tratados e acompanhados por um profissional competente, no caso, um terapeuta, um psiquiatra. Infelizmente, também na sociedade brasileira, tal assunto é tabu e tratar dele abertamente, bem como buscar ajuda adequada, na maioria das vezes, é rechaçado pelas famílias.

Algo que nos chama muito a atenção entre as novas gerações é que elas não demonstram medo, não o reconhecem, incluindo o medo da própria morte. Em diversos casos de que temos notícia, esses jovens revelam aos pais que "partirão cedo" ou partirão em determinada idade, descrevendo, inclusive, em que situação e condições se dará sua partida. Temos notícias e depoimentos a respeito de inúmeras crianças pequenas que manifestam, fortemente, o desejo de morrer, de querer voltar para o lugar de onde vieram. Elas descrevem em detalhes como era esse lugar, às vezes um planeta, outras vezes uma estrela, bem como dizendo que aqui na Terra é muito violento, sem amor, não se cuida da natureza... Todas elas crianças que, com certeza, não estão com depressão, mas sim tomadas de uma profunda tristeza e que, devido à sua alta sensibilidade, sentem como muito difícil se manterem aqui na Terra. Essas mesmas crianças também dizem aos pais, passada essa crise, que sabem que precisam estar e ficar aqui. Elas demonstram uma lucidez impressionante para sua pouca idade. Estamos falando de crianças de dois anos de idade até crianças de nove, dez ou onze anos. Assim como nas crianças de agora, percebemos nos adolescentes desses grupos evolutivos mais recentes que eles demonstram claramente e, para alguns pais, assustadoramente a ausência de medo, inclusive da própria morte. Mostram preocupação e até acentuada apreensão com a possibilidade da morte de seus pais e entes queridos, mas zero preocupação com a própria morte. ***É muito relevante destacar que, entre as crianças e os jovens, falar sobre a morte sempre deve ser motivo de atenção, sempre!*** Principalmente quando estamos diante de sinais de que desejam nos comunicar algo, talvez algo que não esteja totalmente claro nem mesmo para a criança ou adolescente, mas que representa, digamos, a ponta de um *iceberg*.

Acompanhamos brevemente um jovem que, ao ler nosso livro *Adultos Índigo*, se identificou fortemente e nos procurou. Ele sentiu-se tocado. Seu relato foi comovente, impressionante e impactante, pois mais parecia a história de um daqueles mártires de nossa história, que doaram seu corpo, sua vida, sua energia, até a última gota, para servir, de algum modo, ao despertar de consciência de seus pais. Nesse caso, mais especificamente, do pai. Embora com apenas vinte e poucos anos, ele parecia um senhor idoso, com o corpo muito judiado e a alma em frangalhos. Havia percorrido um longo caminho de tentar corresponder às expectativas do pai de estudar e, sem conseguir êxito, envolveu-se com todo tipo de drogas, chegando a vagar pelas ruas por dias e dias. Flertou com a morte fortemente diversas vezes. Mas revelou, com rara lucidez e dor de alma, o quanto não queria morrer, mas sim tentar entender tudo, o pai, as condições de vida neste planeta e, talvez, conseguir ensinar alguma coisa...

Um exemplo que pode nos auxiliar a entender os sinais e a prestar mais atenção neles é o caso de Amy Winehouse, a famosa cantora inglesa que veio como um cometa e partiu muito cedo, aos 27 anos, devido à explosiva mistura de álcool e drogas.

Analisando apenas alguns fatos de sua breve trajetória, revelados após sua morte, percebemos sinais de que ela tinha tudo para um final trágico, com os contornos de um suicídio gradual e/ou um "acidente" fatal.

Amy foi uma legítima representante da geração Índigo, com talento de menina prodígio, personalidade forte e marcante, desde criança. Tinha problemas de mau comportamento, seja lá o que isso significasse em nossa tão confusa e caótica sociedade atual, tendo sido expulsa da escola de teatro aos 12 anos. Ela mesma afirmou que desde os 16 anos sentia uma nuvem negra sobre ela e que, por isso, passou a tomar remédio para depressão. Certa vez, disse: *Se eu morresse amanhã, seria uma garota feliz.*

Amy era genial e, ao mesmo tempo, uma garota-problema que sucumbiu ao uso de drogas e álcool (também uma droga, só que socialmente aceita, infelizmente!), cuja trajetória ficou marcada pela degradação física e psicológica. Ela disse também: ***Não tenho medo de parecer vulnerável. Escrevo músicas sobre coisas que não consigo realmente superar e, então, escrevo uma música e me sinto melhor.***

Amy e sua história ilustram bem toda a dificuldade de ser adolescente, ainda mais carregando altíssima sensibilidade como parte de um dom, um talento raro que, ao mesmo tempo que aliviava suas dores de alma, a expunha numa vitrine para a qual ela não estava preparada.

É provável que tanto Amy como o jovem que acompanhamos brevemente tenham sido diagnosticados, precipitadamente, como depressivos e, assim, medicados de forma equivocada. ***Lembrando que o diagnóstico de depressão, com todas as suas diferentes graduações e complexidades, é algo sério, difícil de ser feito com absoluta certeza, ainda mais na infância e na adolescência.*** Muitas vezes, nessas fases iniciais da vida, confundem-se, frequentemente, episódios de tristeza profunda, tédio, sentimento de solidão e de falta de sentido e até dor e sofrimento devido a hipersensibilidade *versus* falta de escuta adequada e de compreensão com a depressão. Somente um profissional muito qualificado, experiente e sensível, especializado em psiquiatria ou psicologia infanto-juvenil, poderá avaliar cuidadosamente, sem precipitações, e diagnosticar. Somente em último caso, após se esgotarem todas as outras possibilidades de abordagem e de tratamento terapêutico, é que se deve optar por uma medicação, e assim mesmo com parcimônia, muito cuidado e ressalvas. Além disso, se for o caso de realmente usar alguma medicação alopática, sugerimos buscar a opinião de outros profissionais devidamente credenciados. É recomendado fortemente também que os pais estudem o assunto e que usem a própria sensibilidade e intuição, além de ouvir seu filho ou filha a respeito. As crianças e, sem dúvida, os jovens sentem e sabem o que pode lhes ajudar e o que irá lhes prejudicar. Eles possuem uma sabedoria própria em que se deve confiar, sempre se aliando o bom senso e o discernimento, claro. Cabe salientar que em qualquer das situações de busca de ajuda profissional é fundamental que este seja uma pessoa espiritualizada, humanista e conhecedora do tema Novas Gerações!

Diagnósticos equivocados e precipitados nessa fase da vida podem, literalmente, "afundar um barco que já estava à deriva". Por quê?!

Ora, porque as medicações usadas para tratar a chamada depressão em suas distintas formas e manifestações, inclusive no caso do transtorno bipolar afetivo ou bipolaridade, são fortíssimas e causam impactos e efeitos colaterais que variam de pessoa para pessoa, além de causarem dependência química e psicológica. Portanto, na infância e na adolescência, seu uso abre a porta e o caminho para muitas outras drogas lícitas e ilícitas.

É importante destacar que nem mesmo os médicos, por melhores e mais competentes que sejam, têm a noção real dos efeitos que os medicamentos/drogas provocam dentro da mente e do organismo de um indivíduo. Lembrando que cada um é único e reage, funciona e processa as medicações de uma forma igualmente única. Em se tratando de crianças e de adolescentes, torna-se muito mais delicado e arriscado usar tais medicamentos antidepressivos, que são de tarja preta e venda controlada. Isso se agrava ainda mais nas novas gerações, as quais são altamente sensíveis e dotadas de dons e capacidades extrassensoriais que seriam seriamente afetados por esses medicamentos.

Além desse alerta em relação aos frequentes e irresponsáveis diagnósticos precipitados dos adolescentes e à consequente medicação equivocada, queremos chamar a atenção dos pais e dos adultos para outra questão.

Prestem muita atenção aos sinais dados pelos adolescentes, especialmente quando esses sinais incluem o isolamento frequente, a falta de comunicação e as falas relacionadas a morte, a algum tipo de "última viagem", retiro ou partida. Brincadeiras aparentemente "bobas" também podem ser reveladoras das emoções e sentimentos daquele momento e, às vezes, de intenções veladas. Lembrem-se de que nada é feito ou dito ao acaso, nada, ainda mais na sensível e tão delicada adolescência. Popularmente se diz que "quem muito anuncia não faz", mas, na realidade, tal dito não tem validade, pelo contrário. No mínimo, é preciso parar e se questionar: por que meu filho ou minha filha estaria falando sobre esse assunto ou por que estaria mencionando o tema morte e o desejo explícito de morrer ou, como no caso de Amy, *se eu morresse amanhã, seria uma garota feliz*?

Einstein disse, certa vez:

ou você não acredita em milagres, ou acredita que tudo o que existe são milagres.

Da mesma forma, cremos que, na adolescência, ou você não percebe nem acredita em sinais, ou você percebe, observa e acredita que tudo são sinais...

Capítulo 13
Despertar da sexualidade

Vossa adolescência será uma alegria: sereis andróginos, aprendereis a cocriar e reconhecereis que sereis seres que se autoconcebem, autorregeneradores, contínuos. E escolhereis para criar um outro ser somente numa ocasião muito especial, quando toda a comunidade de Cristos naturais tomar conhecimento das exigências. A seleção dos indivíduos que serão incorporados se dará conscientemente. Quem desejar tomar um novo corpo comunicará aos seus futuros pais. Um acordo será zelosamente ajustado entre os pais e a alma que escolheu nascer.

A Revelação – Bárbara Marx Hubbard

Impossível falar de adolescência sem tratar do tema sexualidade. Eis o período em que tudo eclode, ou seria melhor dizer explode?

As questões da infância ligadas à identificação com os pais e com a feminilidade *versus* masculinidade, assim como as experiências relacionadas às descobertas dos impulsos "sexuais" e do prazer, de cunho totalmente fisiológico/biológico, agora voltam com força absoluta, depois de um período de calmaria, que caracteriza os primeiros anos escolares (dos 7 aos 10 ou 11 anos de idade).

As primeiras transformações físicas e anatômicas decorrentes das mudanças hormonais são percebidas pelos adolescentes com um misto de surpresa, estranhamento, receio, curiosidade e, sempre, ansiedade. A intensidade maior ou menor de tais sentimentos e reações depende de algumas variáveis, como o grau de informação e de cultura do adolescente, bem como a proximidade ou não dos pais e a qualidade e frequência dos **diálogos** entre eles sobre esse tema.

Por sua vez, os pais variam muito em suas reações diante dos primeiros sinais da entrada dos filhos na adolescência. Alguns pais antecipam ansiosamente essa chegada, por desejarem que os filhos cresçam logo e fiquem independentes deles. Querem, por assim dizer, se ver livres dos filhos nessa fase e de tudo o que ela representa. Acabam por acelerar, lamentavelmente, esse processo.

Estimulam seus filhos a usar roupas mais parecidas com as dos adultos, especialmente as meninas, que são, inclusive, estimuladas e até pressionadas pelas mães a, precocemente, adotar práticas de mulheres adultas, como depilar-se (processo que pode ser bem doloroso e agressivo!) e fazer cirurgias "corretivas", como a famosa lipoaspiração. São verdadeiros crimes, que violam e violentam a infância e a adolescência. Condutas que, aliás, evidenciam o grau de insanidade que acomete nossa sociedade e nossas famílias.

Os meninos, por sua vez, são incentivados por esses pais "apressados" a beber, fumar, dirigir (mesmo sem carta de habilitação) e praticar outras transgressões como forma de "exercitar e manifestar sua masculinidade". Ainda hoje, os meninos são estimulados a "pegar" as meninas e até mesmo a se iniciar nas práticas sexuais com as chamadas "profissionais do sexo".

Como se já não bastassem as tendências transgressoras típicas dessa fase evolutiva, aliadas à explosão de hormônios que provocam alterações corporais e "ondas" de excitação sem a maturidade necessária para se controlar e administrar tudo isso, ainda existem muitos pais que incentivam, estimulam os filhos a fazer coisas para as quais são absolutamente imaturos (por exemplo, dirigir carro, moto ou mesmo *jet-ski*). **Por incrível que possa parecer,** existem muitos pais que oferecem e incentivam, com insistência, os filhos jovens a experimentar drogas, dizendo que "é preciso conhecer de tudo". Pais assim não são conscientes nem maduros e, obviamente, não sabendo cuidar de si mesmos nem se proteger, também não saberão cuidar e proteger seus filhos. Desconhecem a alta "volatilidade" e a vulnerabilidade dos adolescentes, bem como a dimensão perigosa da abertura e receptividade ao novo desses jovens.

Quantos casos conhecemos ou ficamos sabendo pelos noticiários de jovens praticantes de direção perigosa, agravada pelo uso de álcool e/ou outras drogas, que acabaram atingindo outras pessoas, ceifando vidas, destruindo famílias e carregando para sempre a dor e a culpa por essas tragédias. Culpa, sim, pois nesses casos, devido à imaturidade e à inconsciência, não se pode falar em responsabilidade, que seria uma atitude associada a um estágio mais elevado de consciência. As investigações mostram que, em todos esses casos, houve negligência dos pais ao incentivarem tais comportamentos tanto diretamente quanto indiretamente, por meio de exemplos negativos, ausência marcante ao longo da infância e da adolescência, com a decorrente falta de vínculo afetivo, única "ponte" capaz de transmitir valores éticos e morais de indivíduo para indivíduo, de pai/mãe para filho.

Em todos esses casos, temos jovens com ansiedade aumentada e riscos potencializados, tanto para sua própria saúde geral e integridade física e mental, quanto para aqueles que os cercam, seus semelhantes, na comunidade em geral.

Outros pais, ao contrário dos anteriores, ao notar os primeiros sinais da chegada da adolescência dos filhos, fazem de conta, consciente ou inconscientemente, que "isso não está acontecendo", não com seus filhos. Eles negam a realidade, mesmo diante de sinais evidentes, como a menstruação nas meninas ou o surgimento da barba e o engrossar da voz nos meninos. Esses pais sentem, provavelmente, uma ansiedade diferente dos pais anteriores, algo que assusta, seja porque evidencia, com a passagem do tempo, o seu envelhecimento e, consequentemente, a "morte dos atributos da juventude", seja porque causa uma ansiedade crescente, na medida em que ativa os conflitos e os medos vividos e não resolvidos, na própria adolescência.

Outra causa possível e frequente de ansiedade nos pais, diante da chegada da adolescência dos filhos, é a culpa pela ausência na infância deles, assim como "memórias-fantasmas" da falta de qualidade, de dedicação e de paciência com os filhos, quando estes eram crianças. No extremo desse vasto espectro das relações entre pais e filhos, existe a culpa por se darem conta de que não cuidaram, negligenciaram e até maltrataram seus filhos na infância.

Deve-se mencionar, **com ênfase e com voz de protesto (!)**, que muitos pais guardam a culpa por abusos morais e/ou sexuais causados direta ou indiretamente por eles. Sim, porque os estudos e as estatísticas demonstram dados estarrecedores de que a maioria dos casos de abusos sexuais e morais acontecem no âmbito familiar e, se não foram cometidos pelos pais diretamente, estes, no mínimo, foram coniventes, cúmplices e perversos ao não terem escutado as queixas, as confidências e as denúncias de seus filhos sobre os abusos sofridos! Esses pais silenciaram, e quem cala consente!

Imagine como se dará o despertar e o exercitar da sexualidade nos adolescentes que sofreram esses abusos! Como se não bastassem o trauma, a vergonha, o constrangimento, a violência (tanto do ponto de vista físico quanto energético e espiritual), o golpe na autoestima e na segurança básica, no vínculo de confiança, que é o principal fundamento do desenvolvimento saudável de todo ser humano, ainda é necessário o adolescente ter que dar conta, de forma solitária, confusa e angustiada, dos impulsos sexuais que lhe invadem de forma "estranha" e incontrolável!

Afinal, a exploração desses impulsos que afetam o corpo, especialmente nas zonas ditas erógenas, "exigindo" uma satisfação e, ao mesmo tempo, um reconhecimento, se faz necessária. Trata-se de algo inexorável. Nesses momentos, a mente torna-se "subordinada" aos impulsos, os quais são como uma locomotiva potente e, às vezes, desenfreada, puxando a mente e as emoções como simples vagões que viajam à mercê de uma gama de sensações mais físicas, inicialmente, do que qualquer outra coisa.

Essa "luta", esse conflito estará presente nos primeiros anos da adolescência com força total. Até que, através das experiências exploratórias e descobertas aliadas ao gradual amadurecimento físico, emocional e espiritual, o adolescente ressurgirá das cinzas, dessa "ardente fogueira", tal como a fênix, e se mostrará mais equilibrado, mais autocontrolado, maduro e preparado para escolher um(a) parceiro(a) romântico(a) e estabelecer relações mais duradouras e estáveis. Nessa próxima etapa da adolescência, os jovens estarão certamente mais distanciados dos pais, cortando certos laços, abrindo mão de comportamentos ditos mais infantis e assumindo-se com autonomia crescente. Nessa fase, provavelmente estarão encontrando, como "substitutos" dos pais, um namorado ou namorada e uma atividade profissional.

Os assexuados

Consideramos necessário e importante sinalizar aqui um tema que nos parece constituir um dos muitos sinais de que estamos diante de seres humanos em franca transformação, partícipes de um processo evolutivo que caminha a passos largos na direção de um ***novo ser humano***. Os assexuados são pessoas que não sentem atração sexual por ninguém, nem por homens, nem por mulheres. Tal orientação sexual costuma se evidenciar durante a puberdade e a adolescência. Pessoas com essa orientação sexual podem se interessar e desenvolver relações românticas ou não, e podem até aceitar manter relacionamento sexual com seu parceiro romântico dentro de uma relação estável, sem se sentirem molestados por isso, embora, ao que parece, prefiram parceiros também assexuados.

Existem poucos estudos sobre o tema e os disponíveis são vagos e imprecisos ainda. Todos indicam que pelo menos 1% da população mundial é constituída de seres assexuados. Mas, à medida que novos estudos sejam realizados no campo da sexualidade humana, certamente poderemos ampliar, do ponto de vista científico, a visão e o entendimento a respeito do assunto.

Acreditamos, independente de pesquisas e baseando-nos em nossos estudos e observações, bem como em todos os depoimentos que temos recebido nesses 15 anos de pesquisa sobre as Novas Gerações, que os seres assexuados representam os seres humanos com DNA mais ativado, com a consciência mais expandida e, consequentemente, com necessidades biopsicossocioespirituais diferenciadas. São seres que não apenas não sentem absolutamente nenhuma atração sexual como, também, se sentem direcionados, atraídos por interesses mais ligados ao plano afetivo, de trocas afetivas com outras pessoas, com amigos, com a família. Além desses interesses, sentem-se atraídos por causas sociais, culturais, ambientais e que agreguem benefícios e avanços para a comunidade local e global. ***Esses indivíduos não sofrem por não sentirem atração sexual, e muito menos por não terem relações sexuais.*** Pode-se supor que eles nascem "programados" em seu DNA com essa orientação sexual, na qual não existe nenhuma patologia. É simplesmente uma orientação sexual, assim como os heterossexuais ou os homossexuais. Não se trata de uma escolha, e sim de uma característica da pessoa. Os assexuais podem ser celibatários por escolha própria ou sexualmente ativos (mesmo sem sentir atração ou desejo) por estarem numa relação amorosa com uma pessoa não assexual.

Apenas como curiosidade, segundo dados de uma pesquisa do Ministério da Saúde do Japão, em 1914, 36,1% dos jovens entre 16 e 18 anos não estavam interessados em relações sexuais, mas essa pesquisa não especifica se esses jovens seriam assexuados.

Conforme a pesquisadora brasileira Elisabete Baptista de Oliveira, seus entrevistados revelaram que sempre se sentiram diferentes, alguns desde a infância e outros desde a puberdade ou adolescência, ao se perceberem em relação ao que viam na família, na escola e na sociedade. O processo é muito semelhante ao dos jovens que se percebem homossexuais. A diferença é que estes ainda encontram referências na mídia e na cultura. Os assexuais não têm tais referências. Isso, aliado à falta de informação sobre assexualidade, pode causar dor e sofrimento às pessoas durante a puberdade ou adolescência.

Acreditamos que tal orientação sexual está surgindo e deva crescer em número nos próximos anos, já que se trata de uma das características dessas Novas Gerações, constituindo um "avanço evolutivo" ou *upgrade* no sentido de que os seres humanos assim orientados tendem a canalizar e focar sua energia e talentos diretamente em seu propósito de vida, sem mais delongas ou perda de tempo. Sem nenhum demérito, as pessoas que seguirão sendo sexuadas, claro. **Apenas entendemos que essas gerações estão cada vez mais encurtando a distância entre o pensar e o agir, nos ensinando esse caminho de um agir focado no que realmente importa, nos valores essenciais e mais elevados.** Provavelmente, esses mesmos jovens assexuados, assim como os andróginos e os homossexuais, estejam "exercitando" as novas formas de ser humano e de procriar na Terra. Essas novas formas de procriar deverão, num futuro, ser bem menos físicas e muito mais sutis, sem a necessidade de relações sexuais, por assim dizer, tal como no reino de Shamballa, que sinaliza uma dimensão mais elevada de vibração e de vida, conforme James Redfield nos relatou em um de seus excelentes livros.

Andróginos

Esse tema nos parece de extrema importância e na mesma linha do que comentamos sobre os seres assexuados. Observamos, há muitos anos, como as novas gerações vêm cada vez mais nascendo com aparência andrógina, ou seja, com características tanto femininas quanto masculinas. Melhor dizendo, nascem com aparência física e com um jeito de ser e de se expressar que, levando em conta nossos padrões culturais, tanto podem ser de um menino ou de um homem como de uma menina ou de uma mulher.

Existe uma crescente exposição na mídia desses casos, especialmente quando se trata de artistas famosos ou de seus filhos. Por exemplo, Jaden Smith, de 17 anos, filho do ator americano Will Smith, que tem mostrado ousadia e, ao mesmo tempo, leveza, liberdade de ser e criatividade vestindo tanto roupas de meninas como de meninos e, mais recentemente, estrelando a campanha feminina de uma importante grife internacional.

Dessa forma, essas ***novas gerações vêm com o propósito de romper barreiras e preconceitos***, quebrar paradigmas, abrindo caminho para as novas bases de uma sociedade mais evoluída, mais consciente e livre de padrões preestabelecidos, estereótipos, rótulos, estigmas. Estão nos orientando para que, cada vez mais, nos concentremos em perceber e admirar bem, em valorizar as pessoas pelos seus méritos e não pela sua aparência, cor, gênero ou credo. Esses jovens estão nos mostrando que as relações entre os seres humanos precisam dar um verdadeiro salto qualitativo, priorizando a essência do ser, que é espiritual, portanto, sutil e invisível aos olhos físicos. Nunca foi tão válida a declaração de Antoine Saint-Exupéry, através de seu personagem, o Pequeno Príncipe (pioneiro Índigo!):

Só se vê bem com o coração,
o essencial é invisível aos olhos.

Capítulo 14
O efeito grupo x A falta de vínculo

Um filme, mais ou menos recente, nos chamou a atenção por tratar de um fenômeno que tem acometido os jovens de classe média alta, nos Estados Unidos, mas que tem sua correspondência entre nós, aqui no Brasil, guardadas as devidas proporções e contexto. Trata-se de *Bling Ring: a gangue de Hollywood*, o qual sugerimos com ênfase que todos os pais assistam e promovam reuniões com outros pais e nas escolas para debater e refletir!

O fenômeno *BLING RING*!

Este filme merece ser reconhecido e analisado à luz da consciência, já que não é apenas uma realidade assustadora das elites americanas e hollywoodianas, NÃO! Escrito e dirigido por Sofia Coppola, e baseado em fatos reais, *Bling Ring* trata da doença social que acomete cada vez mais lares e famílias, inclusive aqui, no Brasil. Pais que simplesmente não desenvolveram vínculo afetivo profundo e verdadeiro, e que também nunca conheceram seus filhos de verdade, de repente podem se "surpreender" (ou não!) quando a polícia bate à porta e revela que seu filho, um jovenzinho aparentemente tão inocente, uma criança ainda, cometeu diversos crimes em série.

O filme mostra o caso real de jovens de famílias abastadas em Hollywood que, liderados por uma jovem, entravam nas casas de artistas famosos, seus ídolos, e simplesmente roubavam desde dinheiro até objetos pessoais, roupas e joias. Por quê? Para quê? Eis aí o tema, que nos exige um mergulho mais profundo, se quisermos realmente entender. O que salta aos olhos é que aqueles jovens, assim como os nossos, com seus comportamentos antissociais, violentos e de vandalismo, de desrespeito para com limites outrora sagrados, são um reflexo absoluto do comportamento de seus pais e dos adultos em geral. O que vemos no filme são pais totalmente distantes de seus filhos. E não falo distantes fisicamente, mas emocional e afetivamente! Pais que falam sem jamais olhar nos olhos e na alma dos filhos, que dizem coisas da boca para fora e não observam o que seus filhos respondem nas entrelinhas. Pais que não se importam de verdade e não se abrem com os filhos e, por isso, também não os estimulam a se abrir! Pais que não fazem questão de entrar no quarto de seu filho, olhar, sentar, conversar, e que passam batido em muitos sinais gritantes da solidão e do vazio em que suas crianças e jovens se encontram. São os mesmos pais que se iludem quanto a quem são seus filhos, porque também estão iludidos sobre quem são eles próprios! Esses mesmos pais, no filme surpresos com a revelação pública dos crimes dos filhos, se posicionam de forma inconsciente, inconsequente e criminosa, defendendo-os da prisão e da justa consequência de seus atos. O que seria a oportunidade de pagar o que roubaram e de aprender sobre valores, limites e ética deixa de ser, pois os pais e seus advogados livram a cara dos filhos.

Na verdade, quem deveria ser penalizado são os pais, já que as crianças e os jovens são o reflexo de seus pais e do ambiente que os envolve. Lares e pais distantes, que não os amam, não os olham nem valorizam, e não fornecem a eles referenciais sólidos e suficientes de condutas éticas e saudáveis para a convivência social e a evolução como seres humanos dignos e íntegros, só podem resultar em desastre! E as consequências atingem a todos nós!

Recomendo aos pais que assistam a *Bling Ring: a gangue de Hollywood* e que, por favor, se exercitem nas reflexões e se olhem com muita coragem na frente do espelho da alma, que são seus filhos. Estejam dispostos a examinar a fundo as raízes de tanta distância afetiva, de tanto descaso com eles, pois de nada adianta ensinar apenas boas maneiras e etiqueta social, botar dinheiro, carro e roupas de grife na mão dos filhos, sem terem se dedicado cuidadosamente, desde que eles eram bebês, a de fato dar amor, atenção, ouvir de verdade, entendê-los e estar presente em todos os momentos para dizer os sins e os nãos, para estudar junto, para falar de suas ansiedades, dúvidas e medos, para chorar, se preciso for, junto com seus filhos. ***Não vai adiantar*** **nada** ***dar bens materiais e formar o*** **ter,** ***se vocês, pais, não forem capazes de dar o bom exemplo todos os dias e mostrar que na vida temos liberdade, mas que nossa liberdade termina exatamente onde começa a do outro, e que temos muitas responsabilidades, que são a justa consequência do uso de nossa liberdade!***

Parece impossível e improvável, mas encontramos um número imenso e crescente de pais que não desenvolveram vínculo afetivo forte e profundo com seus filhos, e que quando um terapeuta ou alguém próximo tenta lhes mostrar que é urgente e essencial que saiam do mundo da ilusão e "caiam na real", reagem mal, se defendendo, justificando ou fugindo. Se quisermos mudar a situação de caos e selvageria que domina nossa sociedade, precisamos levantar o véu da impunidade e começar por nós mesmos e nossa família!

A poesia a seguir ilustra e inspira na direção desse despertar tão urgente e necessário dos pais e de todos os adultos que, de algum modo, são cuidadores, orientadores, exemplos para os nossos jovens (homenagem a todos os jovens que partiram cedo, precocemente aos nossos olhos e sentimentos humanos, mas que, do ponto de vista espiritual, cumpriram sua missão aqui e seguiram a luz...):

Ruínas

Ruínas de uma vida
inteira
Partidas de muitas
divisões
O peso que carregas
em vida não é teu
nem tampouco meu
São as queimas
e chamas vivas
mantidas por um
escuro véu
uma rede, uma teia
feita de ocultos
e maldosos fios
Trama de muitas
vidas
idas e vindas
de uma senda
infinita.
Acorda, desperta
antes que restem
entre vivos e mortos
só fumaça e
ruínas...
Ingrid

A seguir, a letra de uma música do jovem Yoñlu, que fala dos desafios, dos desvelos, das dores, dos corações partidos, do cansaço com a falta de espaço, de entendimento, de escuta adequada e verdadeira, do desgosto e da desilusão com o mundo adulto que mente, que faz de conta, que é cínico e infantil. Os termos e os neologismos usados indicam a ausência de palavras mais ou menos perfeitas para expressar o que sentia e pensava esse jovem, que partiu cedo, muito cedo, aos 16 anos. A letra com a melodia pode ser encontrada na internet e vale a pena ser ouvida, sentida, percebida, pois entre seus acordes, nos espaços vazios, podemos captar a alma desse e de muitos outros jovens:

Eu sei como é

Eu sei como é
Ficar de fora quando todos os seus amigos experimentam a nova onda suicida
E eu sei como é
Quando o seu wanksock foi usado por outro cara

Eu sei como é
E eu sei que é um crime também
Mas o que me faz tentar novamente
É manter o pensamento de você

Eu sei como é
Sentir que há alguém olhando você
E eu sei como é
Olhar pra trás e ver que eles estavam realmente te observando

Sim, eu sei como é
E você sabe que é o que estou perturbado por
Memórias de velhos tempos
Fizeram-me lembrar que eu nunca vou ser
Eu mesmo

Sim, eu sei como é
Ser o último escolhido no futebol ou num puteiro de merda
E eu sei o que é
Ter que trocar uma namorada por uma inspiração

E eu fiquei conhecido ao dizer
Que o mundo é uma dança das cadeiras
Suiciniv é o meu nome
Acho que eu quase tive você lá
Sim
Yoñlu

Capítulo 15
Ensaio à rebeldia

Por que e para que os adolescentes se rebelam? Eis a pergunta que devemos nos fazer, já que essa é uma característica tão típica dos jovens e, como sabemos, nada acontece por acaso, então, certamente há um sentido, uma função para tal comportamento. A rebeldia dos adolescentes não pode ser encarada como uma característica de personalidade, traço de caráter ou algo mais permanente, até que alcancem a idade adulta e a maturidade. Essa rebeldia, que tanto apavora e incomoda os pais, antes mesmo de seus filhos entrarem na adolescência, é condição tanto natural quanto necessária. Uma vez que a adolescência é a etapa da vida e do desenvolvimento humano em que se impõe a troca de uma identidade, que não se sabe qual será, fica evidente que a mudança e a transformação estão implícitas nesse processo. Muitas "mortes" em vida, de aspectos que não servem mais, muitas "perdas necessárias" de benesses e de lugares já conquistados. **A rebeldia surge como uma espécie de "instrumento de luta" de um desbravador.** Pois é isso que o jovem recém saído das asas protetoras, macias e aconchegantes dos pais terá que fazer: "desbravar" as fronteiras de um território absolutamente novo e desconhecido. Afinal, como abandonar o ninho seguro, tranquilo, feito de "certezas" e de respostas prontas, se não através de um novo olhar muito mais crítico, questionador, contestador e de uma febril rebeldia contra tudo e todos relacionados a essa "zona de conforto"? Como vencer os medos e as inseguranças de mergulhar num mar revolto sujeito a tempestades e a mudanças de correntes e de ventos sem entender nada sobre esse ambiente?

É exatamente o que significa a rebeldia do adolescente: enfrentar a dualidade, a dicotomia luz e sombra. O jovem abre mão do universo infantil de estar sempre acompanhado, protegido, respaldado e, até, em muitos casos, mimado pelos pais, os quais representam também um mundo feito de valores morais, éticos, religiosos, espirituais. Mundo esse que pode ser entendido como o lado luminoso da vida. Ele sujeita-se a entrar no plano da sombra, ou seja, do mundo lá fora, onde o mal mostra-se com muitas caras, entre elas a mentira, a inveja, a manipulação, as agressões, a criminalidade, as drogas e diversas transgressões.

No livro *Demian*, do escritor alemão Hermann Hesse, que conta a história e as vivências de um menino durante sua passagem da infância à adolescência, encontramos um trecho que ilustra bem esse dar-se conta do menino-adolescente quanto à dicotomia e à dimensão da crise existencial que está por enfrentar:

Às vezes, me dava conta de que meu objetivo na vida era o de chegar a ser como meus pais, tão claro e puro, tão reflexivo e ordenado. Mas o caminho que conduzia aquela meta era demasiadamente comprido; para chegar a ele era necessário passar por muitas escolas, havia que sofrer e estudar para muitas provas e muitos exames, além disso, o caminho seguia sempre bordejando aquele outro mundo mais escuro e, às vezes, nele penetrava, não sendo de todo impossível que nele alguém caísse e afundasse.

(*Demian*, p. 15)

Aqui, cabe esclarecer e ressaltar que a idealização dos pais e do ambiente familiar acompanha o jovem desde a infância como um mecanismo de defesa que o mantém guardado por uma certa tranquilidade e homeostase interna. Mesmo em crianças e jovens em situações de grave carência econômica, social e familiar, com privações de toda ordem, a idealização dos pais e de sua "santidade" intocável tende a prevalecer lá no íntimo de seu ser. Mesmo diante de desilusões e do abandono sofrido, as crianças e os jovens guardam dentro de si uma imagem minimamente preservada dos pais ideais. Nesses casos, ou mesmo na ausência absoluta de um dos pais ou de ambos, a rebeldia tende a ser exercitada contra as figuras que representam autoridade, como algum adulto responsável, uma instituição ou mesmo o governo.

Em outra passagem de *Demian*, percebemos com mais clareza a angústia e a aflição vividas pelos adolescentes diante dessa dicotomia entre o bem e o mal, entre a luz e a sombra. **É como se o mundo lá fora e seus perigos causassem forte atração e, ao mesmo tempo, pavor.** Romper com os doces laços e a pureza do lar exige, de fato, mais do que coragem e ímpeto juvenil, pede algo mais eloquente e com potencial de romper alguns desses laços, rasgando as entranhas do próprio jovem. Trata-se de uma mescla de tantos sentimentos e emoções difíceis de traduzir que, somente lembrando da própria adolescência, poderemos ter uma ideia das dimensões do conflito e do sofrimento! Na verdade, a criança e o jovem que coabitam esse corpo em transformação se revezam e vivem lá e cá. Ora no cândido ambiente familiar, sob as trincheiras dos adultos e suas certezas e organização, ora se jogando nas ruas e nos abismos da vida dita mundana. Eis que as palavras do jovem Sinclair, personagem do livro de Hermann Hesse, nos ajudam a compreender mais profundamente a função e o sentido da rebeldia na adolescência:

Minhas irmãs pertenciam igualmente ao mundo luminoso. Sua formação me parecia mais próxima da de nossos pais do que a minha. Eram melhores, mais judiciosas, mais perfeitas do que eu. Tinham seus pequenos defeitos, mas, a meu ver, não era nada muito profundo, como era em mim, cuja proximidade com o mal era opressiva e angustiosa, por me considerar muito mais próximo do mundo obscuro. (*Demian*, p. 16)

Percebe-se, nessa narrativa, além da angústia, também um resquício do gosto amargo da culpa que o jovem parece deixar transparecer. Culpa por algo pensado, imaginado, de algum modo desejado, mesmo que ainda não realizado. Culpa, esse sentimento tão presente nas mentes e nas relações humanas e que tanto nos atrapalha e confunde, podendo levar a gestos e atos insanos e destrutivos, especialmente na adolescência. Culpa, esse sentimento que tem tudo a ver com a relação credor-devedor e que ocupa as mentes como um fantasma, já que não serve para outra coisa que não seja assombrar o universo da psique humana.

Culpa, esse sentimento inconsciente que a todos assombra e que muitos adolescentes fortalecem e abastecem com farta munição em sua rebeldia, alimentando o fantasma a cada pensamento e gesto realizado fora do mundo luminoso.

Somente à medida que o jovem for avançando para as idades e fases seguintes, dentro da adolescência, é que ele poderá ***amadurecer e livrar-se de algumas supostas culpas***, transformando-as em sentimento consciente de responsabilidade e comprometimento. Percebemos tal avanço num outro trecho do livro, em que Sinclair faz a seguinte reflexão:

Poderia contar muitas coisas belas, delicadas e amáveis de minha infância; falar da aprazível segurança paterna, do carinho infantil, da vida simples e fácil no ambiente caseiro luminoso e caro. Todavia, só me interessam os passos que tive que dar na vida para chegar a mim mesmo. (*Demian*, p. 59)

Portanto, a rebeldia dos adolescentes faz parte de um exercício necessário à autodescoberta de um si mesmo "escondido" dentro de um bloco de mármore e prestes a ser revelado, conforme a dedicação e as habilidades do "jovem escultor" permitam. Essa rebeldia faz parte do "jogo da vida" que, nessa etapa de seu desenvolvimento, necessita de inúmeras oportunidades de luta entre luz e sombra, entre "sou a favor ou sou contra", para que se forjem o espírito e o caráter do adolescente. Ele precisa experimentar milhares de situações dessa luta, durante alguns anos e com variada intensidade, para que, finalmente, surja uma nova imagem, uma identidade ou, talvez, a sua verdadeira identidade, agora amadurecida, esculpida e polida de acordo com seu projeto original.

Capítulo 16
A educação e os jovens

Caminhante, não há caminho,
o caminho se faz ao caminhar.
Antonio Machado

Se pudéssemos traduzir em uma frase o que mais incomoda e o que mais os adolescentes necessitam, provavelmente seria: **Por favor, nos escutem!**

Seja na escola, na universidade, em casa com os pais, na família, no ambiente de trabalho, na sociedade ou na relação com os governos, como cidadãos em formação, os jovens precisam e desejam, mais do que nunca, ser ouvidos de verdade. Diferentemente do passado, de duas ou três décadas atrás, os jovens de agora, se não são ouvidos, reagem com intensidade, força, inteligência, sabedoria e uma coragem que chega a ser assustadora para muitos adultos mais desinformados e/ou despreparados!

Em nossa cultura ocidental e brasileira, herdamos uma visão de que as crianças "são apenas crianças", joguetes nas mãos dos adultos. São tidas como seres que não entendem, não sabem das coisas, não têm opinião nem voz ativa e devem, portanto, ouvir e obedecer. Tanto na escola como em casa, as crianças devem se submeter passivamente, comportando-se como meros receptáculos de informações, de regras, de crenças e de imposições, sem reagir nem questionar.

Esse é o paradigma vigente até hoje, o qual "guia" pais e educadores, que repetem esse padrão como se fossem "lagartas processionárias", sem levantar a cabeça, sem pensar, sem questionar, afinal, eles também foram assim "educados", melhor seria dizer, assim foram "adestrados". Adestramento se aplica aos animais, visando a condicioná-los, por meio de estímulos e respostas. É o chamado ***condicionamento operante***, em que os estímulos são as recompensas oferecidas ao sujeito pelas respostas que coincidem com o que é desejado e esperado pelos pais, pelos professores, pelo sistema vigente, a Matrix.

Tal sistema e metodologia tem sido aplicado às crianças e aos adolescentes em larga escala, há séculos. Como só considera o aspecto biológico/animal do ser humano, constitui-se em um sistema reducionista, já que reduz a visão e o tratamento das pessoas a somente um de seus aspectos, o que é, no mínimo, lamentável. Deve ser por isso que na atualidade existem tantas queixas dos adultos e da sociedade quanto ao comportamento dos adolescentes, sua "falta de educação", de gentileza, de respeito, sua imaturidade, sua inconsequência com suas transgressões, com suas atitudes antissociais e até com sua psicopatia. Deve ser por isso também que, na hora de tratar as crianças e os jovens quanto aos seus medos, fobias, traumas, tristezas, depressão e outros rótulos criados socialmente, seja justamente a psicologia cognitivo-comportamental tão procurada. Faz todo o sentido, numa sociedade que cria suas crianças e as educa na base do "moldar" o comportamento, adestrando-as para a vida e o convívio com os outros, como se fossem micos amestrados.

Se o ser humano, em realidade, é um ser muito mais complexo e sua natureza muito mais ampla, na medida em que é reduzido a menos de 25% do seu todo, o que se poderia esperar?

Fazendo uma analogia simples, é como se a educação atual estivesse olhando as crianças e os jovens como galinhas, tratando-os e alimentando-os como tal, quando, em realidade, são águias. Dá para entender?

Agora, se consideramos que as crianças e os jovens de hoje são muito diferentes daqueles de 30 anos atrás, para quem o sistema educacional vigente era igualmente limitador, reducionista e emburrecedor, a situação atual só piora e se complica. Com seu DNA superativado, com sua mente não linear (que enxerga o todo antes das partes, o nós antes do eu...), com sua natureza multilateral (capacitados para fazer bem várias coisas ao mesmo tempo), multissensorial (capacitados para perceber e sentir o que acontece nesta e em outras dimensões, a seres próximos ou a grandes distâncias...), interdimensional (capacitados para se comunicar com seres extrafísicos desta e de outras dimensões), altamente sensíveis (capacitados para sentir, por exemplo, a dor e o estresse dos outros), altamente telepáticos (capacitados para ler a mente dos outros), altamente sensitivos (capacitados para enxergar dentro das pessoas, identificar doenças, males e curar, inclusive à distância), com memória de outras vidas, com dons artísticos espetaculares (que se manifestam espontaneamente até mesmo na mais tenra infância), com bagagem de muitos saberes trazidos de outras vidas, com uma mente quântica que transporta pacotes de informação que encheriam uma imensa biblioteca, apenas num piscar de olhos... imagine essas crianças e jovens sendo tratados como galinhas, pior, como amebas! Sim, porque amebas não precisam nem de ar para sobreviver, de contato com a natureza, mas **nossas crianças necessitam muito mais do que de ar puro, necessitam respirar Amor, respeito, criatividade, autonomia** para buscar seu aprendizado de acordo com seu ritmo e com seus interesses, com sua curiosidade, que deve ser estimulada e não sufocada como um entrave incomodativo. Nossas crianças necessitam de liberdade, de escuta verdadeira, reconhecimento de quem são e de seus dons, necessitam de lideranças e de educadores oxigenados, livres de amarras e de correntes que arrastam como zumbis há séculos.

Nossas crianças e jovens não são galinhas nem amebas, são no mínimo águias dotadas de potencial aditivado para ver de cima, ver o todo, perceber o que muitos não entendem, para voar cada vez mais alto e indicar o caminho. **Eles são verdadeiros líderes de uma nova Era, de um tempo em que velhos e rançosos paradigmas precisam ser esquecidos, liberados e deixados para trás, de uma vez por todas.**

Nossas crianças e nossos jovens carecem com urgência de serem vistos como quem realmente são, como nós todos somos: seres biopsicossocioespirituais.

Cada um de nossos diferentes aspectos ou dimensões é importante e necessário para que o desenvolvimento, a educação e a evolução humana se deem de uma forma equilibrada, portanto, saudável. Se a nossa educação tanto familiar quanto escolar só vislumbra o aspecto animal, fica evidente que está negligenciando todo o restante e reduzindo o ser humano a uma fração mínima de seu todo. Desconsiderando, sufocando e reprimindo os aspectos social, psicológico e espiritual, esse sistema está, com toda a certeza, matando, diariamente, milhares de crianças e jovens em nosso país e em muitos outros.

Esse "método" de "educar" é desumanizante e, sem dúvida, um instrumento do poder para manipular nossas crianças e jovens, como "massa de manobra".

As crianças e os jovens das novas gerações vêm dotados de uma energia, de uma vitalidade, de uma sabedoria e de uma espiritualidade que os capacitam a romper com esse paradigma vigente, colocando em cheque os principais pilares e crenças que o sustentam. Eles estão capacitados, inclusive, para, nos próximos anos, instalar os novos paradigmas da Educação. Algumas bases já estão sendo lançadas e sedimentadas em vários países, inclusive no Brasil.

Nesse sentido, é importante destacar que nunca se viu, como nesses últimos 4 ou 5 anos, tantos grupos de jovens se levantarem pelo mundo para dizer "não" a um sistema político, econômico, social vigente considerado injusto, totalitário, perverso. Assim como jovens em diversos países protestando, dentro e fora das escolas e universidades, demonstrando suas insatisfações, suas discordâncias e dando voz, cada vez mais forte, a um profundo desejo de mudança, mais do que isso, de transformação dos sistemas educacionais. Desejo esse que vem das profundezas das almas de milhares de adolescentes e que se origina de características totalmente diferentes, tanto em nível de funcionamento cerebral quanto de emoções, inteligências variadas, os variados caminhos de suas articulações mentais abastecidas em outras fontes que não velhos e mofados livros e pergaminhos, que não as mentes lineares e autocráticas de professores grosseiramente condicionados a trilhar os mesmos caminhos, sempre. Mentes jovens abastecidas em novas fontes que vão bem além da internet e se estendem pelas milhares de linhas do vasto e infinito sistema informação e comunicação cósmico. Jovens que, possuindo mentes quânticas e DNA superativado, talentos e dons cada dia mais impressionantes e superdesenvolvidos, não conseguem, não podem e não devem mais se submeter a um sistema educacional totalmente sucateado e superado. Esses jovens são supersônicos, viajam além da velocidade da luz e não podem ser obrigados a ficar parados ou, pior, a andar para trás.

Os depoimentos de alguns jovens a respeito de como percebem, sentem e vivem o sistema educacional brasileiro nos ajudam a compreender o clima de tensão, estresse, conflito, insatisfação e até mesmo caos que reina em nosso país, assim como em muitos outros lugares do mundo.

Ingrid, 13 anos

Sabe, Ingrid, desde pequena, os professores conversam com minha mãe para me adiantar na escola. Aqui em casa, todos nós percebemos que eu aprendo mais aqui do que lá, pois na escola aprendemos o que o MEC manda. E aqui em casa estudamos juntos com minha mãe e pesquisamos de forma livre e acabamos aprendendo mais. E para minha irmãzinha é difícil ficar sentada a tarde toda. Enfim... a educação precisa evoluir. De que adianta ficarmos horas sentados na escola, se o mundo evolui e as coisas mudam rapidamente? Hoje conseguimos aprender de forma mais acelerada! Aliás, precisamos aprender coisas diferentes. Sabe, tem uma professora que fala que eu estou perdendo tempo na escola, que eu deveria estar na faculdade. Mas preciso viver minha adolescência... como uma adolescente... Sabe, Ingrid, aqui em minha cidade os jovens não valorizam a cultura, é difícil até para conversar, então tenho amigos na escola, sou super-sociável, mas não consigo expor meus pensamentos livremente, senão, como eles mesmos dizem, "ficam boiando".

Tatiana, 18 anos

Eu larguei a escola no primeiro ano do segundo grau, faltavam 2 meses para eu rodar, mas eu não queria perder mais dois meses da minha vida pra me frustrar mais um pouquinho. E não ia fazer meus pais pagarem pra ver isso. Eu tava cansada de levar adiante uma coisa que eu sentia que não me levava a nada. Eu vejo direto a galera reclamando de ter que ir pra aula, da professora chata, da matéria "inútil", do ódio pela segunda, do desespero pela sexta, e o amor pelo final de semana. Eu sei e todo mundo sabe como é isso. Jovens, adultos e idosos, todos sabemos. E quando algum jovem ousa reclamar de ter que ir pra aula, ouve algo como "que feio, tanta criança querendo ter onde estudar e tu tá reclamando!". Fácil responder isso, transferir culpa pro aluno e tapar o sol com a peneira, não é? Quero perguntar: e se aquela criança que tanto quis ter onde estudar finalmente conseguisse uma escola? Quanto tempo ela ia aguentar? Por que ninguém quer ouvir que esse sistema tá errado? Por que ninguém quer ver que isso é uma preparação para um estilo de vida completamente maçante, frustrante e infeliz? Crescemos aprendendo como viver para o amanhã, como viver para o dia que nunca chega. Perdemos a melhor parte da nossa vida, a infância e a adolescência, para "aprender" a viver na fase adulta. Mas a real é que chegamos na fase adulta infelizes por não termos aproveitado a infância e a adolescência, com uma carga enorme de informações que sequer sabemos pra que servem, e sem saber viver na fase adulta! Como se faz um depósito? Ou como ter controle do próprio dinheiro? Como pagar contas? Como elaborar o próprio currículo? Como cozinhar sem miojo? Como limpar a casa? Como se expressar? Como educar seu cachorro? Como entender seu filho? Como administrar seu tempo? Como costurar sua calça? Como receber visitas? Como curar uma gripe? Como? Como? Como? Como faz? A maioria estuda a vida inteira até a fase adulta e não sabe o que vai fazer da vida, não sabe de nada da vida, e fica desesperado, porque já tem 18 anos e não sabe o que vai fazer da vida e com a vida!

Calma, gente, calma! Passamos tanto tempo preocupados com o que vamos fazer, que esquecemos do que estamos fazendo. É aquela velha história de viver o presente, que parece tão simples, e é! Só que vivemos condicionados a nos preocupar com o futuro, e o difícil mesmo é quebrar esse condicionamento. No fim, a escola tem mais nos atrapalhado para a vida adulta do que nos preparado para ela. Como é horrível abrir mão de tantos simples prazeres da vida para simples ensinamentos do nada. Essa é minha reflexão de hoje, por escolas que nos ensinem valores, não cifrões.

Vitor, 11 anos

Mudei de escola e estou na sexta série agora. A professora me deu nota 9 na prova de matemática e eu não me conformei porque tinha acertado tudo, então fui falar com ela e ela disse: é que tuas respostas foram muito objetivas e fizeste muito rápido!

Minha mãe foi falar com a professora sobre minha adaptação lá na escola e ela disse: Ah, pensei que teu filho fosse mais inteligente, ele não é, porque faz tudo muito rápido e as respostas são sempre curtas.

Daí minha mãe perguntou se as respostas dadas são certas e ela disse que sim. Não consigo entender a professora!

Observação: Esse menino é um gênio, desenha de forma fantástica, ama ler e vai para a escola sempre carregado de livros e ocupa todo o seu tempo lendo, inclusive enquanto espera que o busquem na escola. Ele tem resposta para tudo, sabe tudo a respeito de extraterrestres, seu tema preferido, tem maturidade elevada e dá um banho de sabedoria e educação em muitos adultos.

Nosso desafio no contexto da Educação

Desejo ilustrar a situação atual no contexto da Educação e o grave impasse que se coloca diante de nós, como sociedade, e que precisa ser resolvido com urgência! Não faremos isso através da negação dos fatos, nem da imposição e do autoritarismo, tampouco usando uma suposta "varinha de condão". **A realidade precisa ser encarada de frente e examinada com cuidado, profundidade, consciência e decisão firme e amorosa de resolver, de encontrar soluções verdadeiras para os problemas que nós ajudamos a criar.** Para tal, necessitaremos nos debruçar e conhecer mais e melhor as características das novas gerações e suas necessidades. Se não quisermos que os próximos anos se configurem em rebeliões multiplicadas, caos generalizado e guerra civil, é isso que devemos fazer.

Citamos a seguir um dos inúmeros depoimentos que recebemos diariamente, ano após ano, acerca da realidade de nossas escolas e da relação entre alunos e professores e entre estes e as instituições de ensino de nosso país.

Quem nos escreveu, nesse caso, foi uma professora da rede pública de Ensino Fundamental da cidade de São Paulo, mas tal depoimento poderia se encaixar em qualquer uma das escola do Brasil e de muitos outros países, guardadas algumas diferenças contextuais. Vejamos sua mensagem e, posteriormente, nossa resposta a ela:

Mensagem recebida

Olá, Ingrid! Tudo em paz?

Por aqui, estamos ótimos e sempre aprendendo...

Sinto muita falta de trocar mensagens contigo, muitas coisas boas têm acontecido. Evito ser inconveniente e ficar mandando recados a todo momento, mas agora sinto curiosidade num fato e gostaria de saber o motivo.

Na verdade, o ocorrido não tem ligação direta comigo, mas como estudo sobre crianças/adolescentes, fico tentando entender se algumas questões teriam ligação com os eventos próximos.

Na escola em que trabalho, rede pública do município de São Paulo, desde o início do ano vejo os colegas de trabalho que lecionam no Ensino Fundamental II (5º ao 8º ano por enquanto) reclamarem demais da conduta dos alunos adolescentes. Nós que atuamos no Ensino Fundamental I tentamos ajudá-los, mostrando que a forma de ensino já não é mais adequada, desagradando os alunos e os entediando por vezes, mas não tivemos nossas palavras muito bem recebidas. As reclamações foram aumentando, as ocorrências de violência também por parte dos alunos, até que na semana passada os alunos organizaram uma "rebelião" na escola e quebraram quase tudo. Essa história repercutiu pela região e acabamos sabendo de situações muito parecidas envolvendo violência e depredação por parte dos alunos em outras escolas da grande metrópole...

Eu, em minha sala, não tenho do que reclamar, meus alunos são lindos, estão se desenvolvendo maravilhosamente, tudo flui tão bem, parece até que vivo em uma dimensão paralela dentro do mesmo espaço físico.

O que tento entender é o que realmente está acontecendo com esses adolescentes, teria alguma explicação extrafísica, mística, astrológica, astrofísica, sei lá, algo que tenha ligação com os próximos eventos de alinhamento planetário, segundo sol, evolução dos seres humanos?

Tenho questionado muito isso tudo, leio muita coisa fora da área da educação, mas bem sei que não há muita colaboração no esforço pra evoluir a forma de trabalho de alguns colegas que acreditam que a melhor forma de se ensinar é como há 20 ou 30 anos atrás, lamentável isso...

Hoje fico por aqui, muita luz e abraços fraternais. Obrigada,

Rosana

Nossa resposta

Este ano tem uma configuração astrológica que indica um período de intensas rebeliões, manifestações coletivas para promover, provocar a mudança! Veja em todas as partes do mundo isso acontecendo, e será assim este ano!

Além disso, com os jovens, nós sabemos que, se eles não forem tratados com o devido amor, entendimento, respeito e ao mesmo tempo com a firmeza permeada de amor que sabemos ser necessária, ficará cada vez mais difícil, até que haja mudança nas mentes e corações, no contexto da Educação.

Aliado a isso, sabemos que o modelo educacional é anacrônico, ultrapassado e, se não houver atualização, mudança pelas bases, entendendo que as mentes das novas gerações são não lineares, são holísticas, que eles são multidimensionais, multissensoriais e interdimensionais e que não conhecem o medo (nem mesmo o medo da morte!), estando dispostos a promover a mudança custe o que custar, pois vieram aqui para isso, então, podemos esperar por acontecimentos ainda mais fortes e dramáticos. O ser humano parece que ainda está, em sua maioria, no estágio de precisar da dor, da morte, para mudar! A gente lamenta e sente muito por isso, mas temos de respeitar o livre-arbítrio, que é a Lei Espiritual que nos rege aqui na Terra. É claro que, estando os jovens submetidos desde bebês, em muitos casos, como sabemos, a condições desfavoráveis ao seu desenvolvimento saudável e equilibrado, especialmente desfavoráveis a uma saudável canalização e expressão de seus dons incríveis, carecendo muito de uma escuta verdadeira, eles se perturbam, se desequilibram e são alvo, com certeza, de obssessores energéticos e espirituais, que se aproveitam para influenciá-los em situações de discórdia e desarmonia. Isso de fato acontece. Lembremos que tudo começa em nossos antepassados, nossos ancestrais que atuam através de nós para "fazer acertos de contas". Eis por que a Ciência Espiritual se faz cada vez mais necessária aliada à Ciência dos humanos, na atualidade!

Enquanto não se abrirem mentes e corações para um verdadeiro diálogo pleno de amor, afeto e confiança, não vejo possibilidade de melhora, pelo contrário. E veja que sou muito otimista e mantenho visão positiva da vida, porém sou realista. Para mudar, talvez precisemos do caos acentuado por mais tempo, constituindo uma etapa de nossa evolução. Como disse, tudo depende de nossas escolhas individuais e coletivas. Podemos cocriar novas realidades mais elevadas e evoluídas, depende de nós!

Contudo, veja como em tuas aulas é diferente! Por que será? Se bem sei, prevalece a vibração do amor incondicional, do diálogo, do entendimento e do respeito!

Por ora é isso, querida, desejo que a Luz de Deus e dos Guias Espirituais esteja contigo e com todos por aí!

No seguinte depoimento da jovem Juliana, percebemos e podemos até sentir o tanto de sufocamento que vivenciou e a solidão devido à incompreensão dos pais e, provavelmente, dos professores. Como ela mesma refere, olhavam-na com reprovação, como se houvesse algo de muito errado com ela. Foi isso que ela naturalmente acabou internalizando e foi determinante para a sua autoestima e autoconfiança:

Durante a infância e a adolescência sempre me senti diferente, e "esquisita" é a palavra mais correta, porque reflete exatamente o sentimento que eu tinha de como as pessoas olhavam pra mim. Eu não conseguia entender o que podia estar errado, pois aparentemente não havia motivo pra eu me sentir tão sozinha, sem afinidade com qualquer pessoa. Tive pais dedicados, mas que não me entendiam, e mesmo sendo criança, eu sabia muito bem que eles estranhavam meu jeito, muito introvertido, reflexivo. Eu não tive problemas de disciplina na escola, talvez por medo de rejeição, de deixar transparecer o que eu era. Mas dentro de mim tinha muitas perguntas e inquietações profundas para uma criança.

Juliana

Depoimentos assim deixam claro o quanto é urgente que ***nos dediquemos como pais, educadores e adultos a desenvolver a verdadeira compreensão mútua***, a qual somente será possível através de um novo olhar e do desejo íntimo de conhecermos nossos filhos, nossos jovens em profundidade. Exercício esse que nos exigirá a coragem de nos conhecermos e, por vezes, de nos reconhecermos neles e através deles. Eis que se trata de amar verdadeiramente, portanto, sem condições, tendo a consciência de que esse é o caminho de uma educação transformada e transformadora!

Vejamos o que nos diz Edgar Morin sobre a necessidade inapelável de uma compreensão mútua para que a educação possa avançar na direção de formar verdadeiros cidadãos planetários:

A compreensão é ao mesmo tempo meio e fim da comunicação humana. O planeta necessita, em todos os sentidos, de compreensões mútuas. Dada a importância da educação para a compreensão, em todos os níveis educativos e em todas as idades, o desenvolvimento da compreensão necessita da reforma planetária das mentalidades; esta deve ser a tarefa da educação do futuro.

(Do livro *Os sete saberes necessários à educação do futuro*)

A educação e o educador certamente evoluirão gradualmente, no sentido de um reconhecimento dos objetivos da vida, das predisposições básicas do caráter e do propósito da alma. Quando isso acontecer, os pais, os educadores se tornarão o que deveriam almejar: ser um amigo sagaz e um guia para os jovens, de acordo com Alice Bailey. Ela fez a seguinte previsão, em 1954:

No estado mundial vindouro, o cidadão como indivíduo – alegre e deliberadamente em plena consciência de tudo que está fazendo – subordinará sua personalidade ao bem do todo. O crescimento de irmandades e fraternidades organizadas, de partidos, de grupos dedicados a alguma causa ou ideia será um indicativo de tais forças vindouras. O ser humano da era aquariana (em que nos encontramos agora) manifestará grandes ideais, porque o canal de contato entre a alma e o cérebro, através da mente, será firmemente estabelecido. A mente será usada como um penetrador no mundo das ideias e como um iluminador da vida no plano físico. Isso produzirá, finalmente, uma síntese do esforço humano e uma expressão dos verdadeiros valores e das realidades espirituais, como o mundo jamais viu. Tal é a meta da educação do futuro.

Nesse sentido, os exemplos de jovens, alguns muito jovens mesmo, são impressionantes e se multiplicam, demonstrando que o tempo vindouro referido por Alice Bailey já chegou. Estamos observando e convivendo com gerações de jovens visionários, empreendedores e idealistas com uma dose de realismo proporcional e um senso prático e uma capacidade de concretização e realização impressionantes! São guiados por valores e ideais que privilegiam o todo, o nós, a comunidade e buscam proporcionar condições e relações justas, éticas e transparentes a todos os envolvidos em suas iniciativas e projetos. Visam antes à realização de um propósito e ao bem comum, que inclui a paz, a fraternidade e a sustentabilidade em vez do lucro cego e desmedido. No campo da educação, estão atuando, cada vez mais, em termos de questionar e sacudir as antigas e arcaicas bases e propondo mudanças de paradigmas, bem como iniciando projetos criativos e renovados de uma educação realmente transformadora e transformada.

Mal podemos esperar pelos próximos anos para ver o que eles irão criar, ainda mais se nós, adultos, os ajudarmos!

A resposta prática dos adolescentes

Temos visto ultimamente uma conduta muito interessante e admirável por parte dos jovens em nosso país. Eis que estão se mobilizando e ocupando escolas para exigir as mudanças necessárias! Eles fazem isso de forma contundente, firme, determinada e pacífica, instalando-se até com barracas e mostrando que não vão arredar o pé enquanto suas propostas não forem ouvidas e consideradas! O que eles exigem? Entre outras coisas, exigem contratação de professores para completar as necessidades do currículo para que ninguém fique sem aulas, exigem que a merenda escolar seja fornecida diariamente ao invés de desviada para outros fins, exigem que a escola seja reconstruída e minimamente equipada para que haja ambiente digno para todos, exigem que as turmas não sejam separadas para que as amizades e os laços afetivos se mantenham, exigem algum respeito às suas mínimas necessidades como jovens estudantes, como cidadãos. Parece-nos pouco perto do que eles poderiam e deveriam exigir. Muito pouco se pensarmos em tudo o que os jovens têm direito e nós, como pais e adultos, deveríamos estar nos mobilizando para exigir para eles e por eles, tendo em vista todos os impostos que pagamos. Mas, por outro lado, nos parece muito esse gesto maravilhoso desses jovens, pois aí existe Amor! Eles estão nos dando uma lição de Amor ao mostrar que, se a gente ama, a gente tem que se importar, tem que respeitar e cuidar! Um desses jovens, ao ser entrevistado, disse de forma tranquila, serena: *Nós não queremos impedir que aqueles que quiserem assistir à aula assistam, nem queremos interromper a rua para não causar transtornos no trânsito, pois não queremos que a opinião pública fique contra nós, sabe? Nós só queremos nos manifestar e exigir que o que é de direito, o que é certo, seja feito, só isso!*

Eis o exemplo que eles estão nos oferecendo, eis a direção que os jovens estão nos indicando. ***Eles vieram para nos ajudar a encurtar a distância entre o pensamento e a ação, como parte de sua missão aqui. Lembrando que os Índigos são os chamados "Rompedores de sistemas" e os Cristais são conhecidos como os "Pacificadores".***

A intensidade de suas manifestações só reflete o grau e a intensidade de nossos gestos e atitudes com eles. Se os adultos os tratam com respeito, com Amor e mantêm o canal de comunicação aberto e fluindo com naturalidade, é assim que serão pautadas as expressões e os gestos dos jovens. Mas, se o sistema endurece com eles, fecha as portas, levanta a voz, insulta, impõe e desrespeita, eles provavelmente farão isso como uma forma "desesperada" de serem ouvidos e respeitados!

Tais gestos e atitudes dos jovens querem nos dizer que eles carecem de ser ouvidos, necessitam de espaço para se expressar, para se rebelar, criticar, questionar, refletir e dar opinião, exercitando a sua liberdade e o respeito à liberdade do outro, num ambiente "seguro" e preparado minimamente para acolhê-los. Eles demonstram também que precisam ser estimulados a pensar em soluções criativas e construtivas para os problemas de sua comunidade e do mundo, aplicando seus dons e talentos para isso. Essa deveria ser a nossa resposta prática aos adolescentes: oferecer-lhes esse ambiente e as condições adequadas para que possam ser eles mesmos, exercitando sua voz ativa, satisfazendo suas necessidades, para que sua formação e amadurecimento sejam privilegiados. Seria muito maduro por parte de pais, professores, gestores, governos e lideranças se dedicar a criar tais ambientes e condições para os nossos jovens, levando mais a sério essa camada de nossa população. Afinal, um dos fortes indicadores do alto grau de desenvolvimento de uma sociedade é o quanto ela se preocupa e cuida de suas crianças e jovens adotando práticas e políticas efetivas e eficazes voltadas para eles.

Os jovens estão nos dando exemplos práticos! Como e quando iremos responder a eles?

Minha esperança é que, através do gradual enfraquecimento das repressões da escolarização, afrouxaremos suas malhas e fortaleceremos as oportunidades de aprender em outras fontes, de tal modo que será impossível separar o aprendizado da vida, e estudantes e professores de amigos aprendendo juntos. Para isso, precisamos de um real florescimento de outras opções. Ronald Gross, Educador (em A conspiração aquariana de Marilyn Ferguson*)*

O florescimento de outras opções está acontecendo e ganhando força e impulso maior nesta última década, provavelmente liderado pela geração Índigo e muito ativado pela geração Cristal. Sabemos que na gestação estas crianças já estão atuando, com sua mente quântica, no sentido de ativar em seus pais a transformação e o despertar em relação a seu propósito e missão aqui. Poderíamos citar inúmeros exemplos, dentro e fora do Brasil, dessas novas opções, mas vamos nos concentrar apenas em alguns, que valem por muitos, e que sugerimos que vocês, leitores, pais, professores e adolescentes, pesquisem e descubram essas opções que florescem rapidamente ao nosso redor.

Citamos aqui a iniciativa encantadora e altamente inspiradora do jovem Índigo Thiago Berto, que desde cedo sabia em seu íntimo que precisava fazer algo em termos de ajudar a transformar a educação, noção que se fortaleceu dentro dele quando tornou-se pai de seu primeiro filho. Sendo um empresário muito bem-sucedido, vendeu sua parte nos negócios, viajou o mundo em busca de outros projetos de escolas e de educação dita alternativa. Viveu no Butão, viajou pela Europa, atravessou uma imensa distância entre o Alaska até o sul da América do sul, sempre guiado por esse propósito. Voltou e começou a implementar seu plano e visão da Cidade Escola Ayni, na cidade de Guaporé, estado do Rio Grande do Sul, de onde é natural. A Ayni tem como propósito e objetivo servir de exemplo e inspirar outras pessoas, educadores, pais, escolas, cidades e países e contribuir para a instalação de um novo olhar e de novas bases para o acolhimento, o desenvolvimento e a educação das novas gerações. Thiago e seu projeto já em realização têm uma linda história de vida, a qual pode e merece ser conhecida no site: www.fundacaoayni.org.

Outro projeto em andamento é o Mães de Uma Nova Escola, liderado pela fonoaudióloga e escritora Luciana Célia, também representante das novas gerações. A partir de sua alta sensibilidade, primeiro às necessidades de seu filho, uma criança Cristal ultrassensível e inteligente, para quem Luciana e seu esposo não encontravam espaço e um olhar e abordagem adequados, ela se mobilizou gradualmente, no sentido das necessidades de toda uma geração. Em suas buscas, dedicou-se a visitar mais de cinquenta escolas em sua cidade, Porto Alegre, e a ler, estudar, e foi numa palestra de José Pacheco, o educador português e criador da Escola da Ponte, que ela sentiu o impulso decisivo para iniciar esse "movimento" e o grupo Mães de Uma Nova Escola, com adesão crescente de outras mães com as mesmas necessidades em relação a seus filhos, entre elas muitas educadoras e terapeutas. O grupo cresceu, se fortaleceu, criou uma Associação e agora tem, inclusive, uma sede. Mais informações e contatos podem ser feitos pelo site www.maesdeumanovaescola.com e pelo blog https://maesdeumanovaescola.com.

Um terceiro exemplo inspirador é o da Escola Livre e da Universidade para jovens criados pela Comunidade de Piracanga, na Bahia, que merece ser conhecido e visitado. Eles se autodefinem como *um centro dedicado ao desenvolvimento humano, onde intencionamos que todos possam encontrar um espaço de confiança e entrega para trilhar seu caminho interior neste momento de transformação planetária.* A Universidade para jovens é um acontecimento à parte, que vem sendo dirigido há dois anos por uma jovem argentina representante da geração Índigo-Cristal, Maria Florencia Dillon, a quem tivemos a honra e a imensa satisfação de conhecer. Por ocasião de sua ida para lá, ela me confidenciou que estava indo para conhecer, mas que, se gostasse e sentisse que ali poderia realizar o próximo passo de sua missão, ali ficaria, e ficou. Sua missão, me disse: eu desejo ajudar os jovens das novas gerações a se encontrarem, a identificarem seus dons e sua missão aqui na Terra, neste momento de transformação e evolução planetária. A Universidade Viva Inkiri recebe jovens de 18 a 28 anos para imersões e para experimentar a vida em comunidade e um caminho para dentro de si, reconhecendo-se como seres de luz. Mais informações podem ser encontradas no site: www.piracanga.com.

Há passos que a humanidade deve dar, e somente um novo tipo de educação e uma atitude diferente relativamente ao processo educacional (imposto aos muitos jovens em cada nação) capacitarão a nova humanidade a dá-los.
Alice Bailey

Capítulo 17
Os desafios dos adolescentes na família e na sociedade

Algo que sempre nos chamou a atenção, desde nossa própria adolescência, foi a atitude generalizada do ambiente familiar e do tecido social no sentido de "isolar" os adolescentes e de mantê-los envoltos em um manto de invisibilidade. A partir de uma certa idade, os jovens passam a não ser incluídos em determinados eventos e ritos familiares e sociais, já que, segundo dizem, e parece que todos aceitam, "eles têm seus próprios eventos e ritos, têm seu próprio mundo". E, para uma esmagadora maioria de adultos, isso até que parece bem confortável, se forem sinceros, claro, pois assim eles que se divirtam por lá, com seus colegas e amigos da turma. "Eles nem se sentem bem com a gente, sabe, doutora?!"

É evidente que os adolescentes vão buscar a sua turma para poder exercitar suas angústias, dúvidas, alterações de humor e suas manifestações "esquisitas" de alguém que anda numa corda bamba entre dois aparentes extremos, o sentir-se e ser criança e o sentir-se e ser adulto. No entanto, existe, sem dúvida, um mecanismo defensivo social que é o de afastar todo aquele que, por ser muito diferente, por colocar em cheque os padrões estabelecidos e questionar as normas sociais, incomoda, e muito!

Não é para menos que nos textos bíblicos não se encontram detalhes sobre a adolescência de Jesus Cristo. Somente no recente livro *As Cartas de Cristo* é que Ele nos traz esclarecimentos e informações sobre esse período de sua vida e de sua retirada para o deserto, quando, após o rito do batismo, passa por um processo de despertar e entra numa segunda etapa de sua adolescência, muito mais consciente e madura. Mas ele foi buscar isso sozinho e viveu tal período de iniciação também sozinho, ou melhor, guiado e inspirado por Deus/Amor/Vida.

Existem crenças instaladas em nosso inconsciente coletivo relativas ao significado e ao tratamento dos diferentes. Tais crenças se transformaram em valores sociais, familiares e até institucionais na medida em que mais e mais seres humanos aceitaram essas crenças e as aplicaram, comportando-se de acordo com elas. Ao longo de séculos e séculos, as crenças de que o diferente é perigoso, incomoda, é mau, é inferior e patológico foram se instalando, inclusive em nosso DNA, que, por ser vivo e pura consciência, assimilou-as. Não é por acaso que o americano Andrew Solomon, Doutor em Psicologia, dedicou-se por muitos anos a pesquisar o assunto e publicou recentemente um livro chamado *Longe da árvore*, para abordar em profundidade e com maestria o tema dos "diferentes" em nossa sociedade.

Assim como, no século passado, as mulheres que entravam na menopausa eram tidas como loucas por enfrentarem alterações hormonais impressionantes e, consequentemente, mudavam muito seu comportamento, acabando sendo internadas em hospícios, hoje vivemos um transe social em que os diferentes de muitas formas (!) estão sendo visados e "caçados". É assim que as crianças e os jovens das novas gerações têm sido rotulados de diversas maneiras, ainda mais os adolescentes, que acumulam todas as alterações hormonais, físicas e emocionais às novas características de uma espécie humana em franca evolução. O olhar "atravessado" e de estranheza que implica algum grau de rejeição dos adultos, especialmente dos pais em relação aos filhos jovens, por si só, já constitui um forte código silencioso que indica: *foi mal(!)*, como eles mesmos dizem na gíria. Sentir-se estranho por estar em mutação, seja pela fase de desenvolvimento, seja pelas alterações genéticas do processo evolutivo, já é bem ruim, angustiante e incômodo. ***Quando esse estranhamento é reforçado por um olhar que rejeita, constrange e humilha, instala-se, gradualmente, a condição de sofrimento solitário e de sufocamento da alma, do espírito.***

Para ilustrar e chamar a atenção, no sentido de uma tomada de consciência e de uma retomada de diálogo entre pais e filhos, entre professores e alunos e entre seres humanos de todas idades, trazemos aqui alguns depoimentos de jovens que nos escrevem e desabafam, contando um pouco de sua história. Iniciamos com a mensagem de uma jovem que, na verdade, escreveu ao autor Lee Carroll, dizendo querer representar toda essa geração de jovens e dizer um pouco do que significa ser Índigo e como os pais e adultos podem ajudá-los:

A melhor forma de vocês realmente nos ajudarem é se abrirem totalmente à nossa própria espiritualidade, amarem-se a vocês mesmos, descobrirem a alegria nas nossas vidas e resgatarem a paz que vocês sabem existir no centro do nosso ser e que sempre esteve lá. Até encontrarem as nossas raízes espirituais, o nosso próprio centro de amor por vocês mesmos e a nossa serenidade madura e estável, não poderão ajudar-nos, nem guiar-nos para a nossa missão.

Não estamos aqui para aprender lições com vocês, mas para manifestar um pouco do paraíso na Terra. Esperamos que isso inflame os nossos corações e confirme tantas das coisas em que acreditam, mas têm tido medo de afirmar com total confiança. Isso acontecerá quando vocês nos aceitarem por aquilo que somos e sentirem o nosso amor.

Já estamos aqui, neste maravilhoso planeta! Esperamos por vocês com amor e paciência. Alguns de nós escolheram encontrar-se a meio caminho: isto é, adiarem um pouco a própria missão e embarcarem numa viagem de se tornarem um de vós, para que, à medida que vocês caminhem ao nosso encontro, nós caminhemos também ao nosso encontro. Sabemos que tentam ajudar. Amamo-os por esta razão e por muitas outras! Por favor, escutem-nos primeiro – não as nossas palavras, que lhes devolvem aquilo que vocês presumem, mas os nossos esforços e a nossa intenção.

No próximo depoimento de um jovem, podemos perceber sua imensa energia e sede de saber, de expandir suas buscas e o difícil rechaço e repressão dentro da família, a falta de escuta e de compreensão. Consequentemente, percebe-se como tais condições empurram o adolescente para os grupos como forma de substituírem os pais, o lar e por neles ser possível fazer experimentações, extrapolar limites, encontrar algum *status*, uma identidade, mesmo que transitória e mesmo que nem sempre positiva. Podemos também perceber como é difícil para os jovens encontrar lugares públicos compreensivos com eles. Na verdade, devemos nos perguntar: que condições e espaços de entretenimento, de encontro, de cultura e de lazer a sociedade atual, especialmente nas grandes cidades, criou ou se preocupa em criar especificamente para os adolescentes? Quanto a sociedade como um todo está demonstrando de disposição para enxergar de fato, com profundidade, amor e respeito, os adolescentes? Como anda a disposição e a dedicação ao diálogo verdadeiro, sincero com os jovens?

Vejamos o que diz, em seu depoimento, esse jovem habitante de uma grande capital:

Horiatan, 20 anos:

A minha entrada na adolescência foi um desafio imenso, primeiro porque tinha que lidar com abusos constantes da minha avó materna, não abusos físicos, mas mentais; os físicos, bem... ficaram na infância. Digamos que, na família, ela seria uma espécie de Sadam Hussein. Foi uma trajetória difícil evitar discussões devido à minha mãe – filha dela – que, mesmo diante de todo tratamento ruim, ainda amava a mãe. Eu tive o desafio de aprender a amar. Eu era apegado demais às pessoas e, quando elas me faziam sofrer, acabava ficando muito chateado e, por vezes, descontava em quem não tinha nada a ver. Havia uma frase que minha mãe dizia quando minha avó tinha os "ataques" e que foi o que motivou minha entrada no mundo literário: "desconta sua raiva nos livros", e ela tinha razão. Então, durante anos e anos, li tudo que podia, queria ser inteligente, não ligava para minha aparência física, o que importava era a leitura. Lembro que tinha livro que eu lia em poucas horas. Li um livro de 400 páginas em 4 horas, devido a um desses ataques dela – foi uma fase boa e, ao mesmo tempo, ruim. Boa porque foi quando vi que era um "alien" para minha família, mas não para meus amigos, alguns dos quais são meus amigos até hoje. Eu descobri meu gosto por filmes diferentes do comum, aprendi a respeitar as diferenças sexuais e sociais, criei um grupo de otakus *– aqueles que curtem a cultura pop asiática – em que eu e meus amigos queríamos reunir o máximo de pessoas da nossa cidade e conseguimos chegar a 30 membros por encontro mensal, tudo decidido por enquetes na comunidade do antigo Orkut. Na comunidade, chegamos a ter adesão de membros interestaduais que vinham uma vez ao ano – um deles – e outros que não podiam vir e por isso, até onde fiquei sabendo, construíram seus próprios encontros, e soubemos depois que alguns grupos de cidades vizinhas nos tinham como precursores desses encontros. Eu me lembro que numa das vezes, quando alguns foram de* cosplayers *– o ato de se fantasiar de personagens de animes, games e da cultura pop em geral, para exibição em eventos ou simplesmente por gosto –, criamos uma roda na entrada da praça de alimentação e começamos a brincar. Nós acabamos chamando a atenção mesmo sem querer, porque foi algo impensado, só queríamos nos divertir. Logo, o segurança* *pediu para que nos retirássemos dali, pois estávamos impedindo a passagem das pessoas. Só então nos demos conta do que fizemos, não era errado, mas também não queríamos confusão. Lembro que quando queríamos mesmo provocar, era diferente. Por exemplo, um dia resolvemos brincar de pique-pega no estacionamento, mas não era uma provocação no sentido ruim, queríamos provocar a nós mesmos, afinal, éramos adolescentes e na adolescência a gente sempre tem uma implicância com a infância, afinal, estamos transitando entre os dois universos: o infantil e o adulto. Ledo engano. Hoje vejo as diferenças do pensamento e, sinceramente, não me arrependendo de nada que pude fazer na adolescência, mas queria ter aproveitado mais e magoado menos as pessoas.*

No seguinte depoimento, de um adolescente um pouco mais maduro e à frente do seu processo de evoluir, percebemos também as dificuldades de lidar com a rigidez e com a falta, digamos, de sensibilidade dos pais. Novamente, a incompreensão e a atitude autoritária e refratária dos pais em relação às características tão diferentes de seu filho, desde criança. Percebemos ***o sofrimento gerado pela falta de um olhar verdadeiro***, pela ausência de um verdadeiro amor incondicional, portanto, de respeito e aceitação. Percebemos o quanto a comunicação fica impedida, limitada e o vínculo afetivo certamente fragilizado. Certamente, muito deixou de ser experimentado e vivenciado por esses pais que, ao negarem o espaço de troca e de diálogo com o filho, perderam muito em aprendizagem, em enriquecimento pessoal e como casal e roubaram do filho imensas possibilidades de expansão e de realização, felicidade e paz interior.

Na segunda parte do depoimento, o jovem faz questão de contar sobre suas buscas por se entender, se reconhecer como alguém diferente, ao invés de simplesmente “um estranho” ou “um arrogante e presunçoso” na família, na escola. Ele relata a experiência de encontrar um livro sobre o tema Índigos e como esse encontro foi revelador e libertador. Quem o ajudou e fez o papel de fio condutor para esse processo de identificação foi sua namorada, representando e já substituindo, assim, simbolicamente, a figura dos pais.

Luiz Marcos, 26 anos

Oi, Ingrid! Meu nome é Luiz Marcos e tenho 26 anos. Eu lhe escrevo como um desabafo (algo que eu faço muito raramente) e agradecimento.

Eu sempre achei que era diferente – internamente, diferente de todas as outras pessoas que já conheci, com exceção de umas três, mas, ainda assim, potencialmente diferente.

Sempre fui a criança diferente, que ia contra a corrente, que questionava os professores desde o 1° ano do primário. Eu também sempre sofri com as repressões familiares (leia-se pais) desde muito pequeno e só reuni forças pra me soltar da energia vinculante deles aos 15 anos. Apesar de só ter conseguido o total desprendimento recentemente, com 25 anos. Meus pais (mais o meu pai, a minha mãe menos, mas infelizmente, por convivência, adquiriu a característica do meu pai) acreditam em hierarquia e conhecimento por idade. Eles simplesmente não compreendem que todos têm conhecimento para compartilhar, independente da idade que a pessoa possua e que, por mais idiota que possa parecer, em tudo que existe há algum aprendizado, nem que seja para aprender a não fazer alguma coisa.

Meus pais acreditavam que, por serem pais, possuíam direitos divinos de mandar e regrar a vida dos filhos. Acreditavam na hierarquia e que ordens de pais são automaticamente seguidas, porque eles "naturalmente" sabem mais. Eu sou exatamente o oposto. Não importa se é uma criança de 5 anos ou um idoso de 70, eu sempre acho que eles têm a minha idade e eu posso falar exatamente como se eu estivesse falando comigo mesmo. Eu não reconheço hierarquia, só reconheço pessoas mais sábias e menos sábias. Ordens precisam de motivação, nada contra seguir uma ordem, desde que faça sentido. Para mim, definitivamente, não existe nada que diga que alguém sabe mais que outra pessoa, porque veio antes ou teve certa experiência. Experimentar as coisas não necessariamente quer dizer que tu vai conseguir extrair conhecimento ou aprendizado delas.

Avançando no tempo um pouco, desde 2007 eu tinha conhecimento dessas crianças azuis, Índigos, mas por achar que era presunção minha ser uma delas (tendo em vista que, apesar de não me achar, eu tenho consciência de que as pessoas me acham presunçoso e arrogante por algum motivo que desconheço), eu deixei de lado até semana passada.

Eu estava andando numa livraria e vendo os livros (um dos meus passatempos favoritos), e quando bati o olho na seção de psicologia, uma vozinha dentro de mim disse: "Vai lá ver" (essa vozinha me acompanha desde criança, apesar de eu ter começado a aprender a escutá-la só por volta dos 15 anos e ter "dominado" ela por volta dos 21). O livro Adultos Índigo *foi o primeiro que eu vi, e tive a vontade de pegar, mas, de novo, por achar presunção, foi o último que eu peguei.*

Minha namorada estava comigo e eu pedi a ela que lesse as características dos índigos, e se eu encaixasse com alguma delas, levaria o livro (eu não queria ler por não ter uma falsa noção de que sou algo que não sou, mas pedindo para outra pessoa que me conhece bastante ler, seria mais imparcial). Logo que ela começou a ler as características nas páginas 36, 37 e 38, falou na hora: LEVA! Eu a questionei: por quê? Ela disse: eu nunca conseguiria te descrever tão bem quanto este livro está fazendo.

Depois que li todas as características na loja mesmo, as que aparecem nas páginas 36, 37, 38, 43 e 44, eu fiquei com medo, é a palavra que descreve melhor. Nas páginas 36 a 38 são elencadas 26 características. Eu possuo, com certeza absoluta, 24. As duas que eu não identifiquei em mim são: alienação ou irritação com a política sentindo que sua voz não conta (eu realmente me irrito com a política, mas acho que a minha voz conta) e frustração ou rejeição do sonho de carreira com cercas brancas etc. (algo que eu sempre quis desde que era criança). Quanto às características das páginas 43 e 44, eu possuo todas elas.

Senti necessidade de enviar esse testemunho, pois não me senti tão sozinho no mundo, sabendo que existem outros que compartilham as mesmas dificuldades e características, apesar de ser um pouco de egoísmo, porque, no meu caso, até eu conseguir me desvencilhar dos meus pais e do que eles e a sociedade esperavam de mim, foi bem difícil, e imagino que eu não deva ser a exceção, e sim a regra. A exceção, provavelmente, são os índigos que tiveram uma infância feliz, com suporte à sua capacidade intelectual etc.

E, para terminar, algo que eu notei na personalidade das pessoas é que todos os que estão aqui para evoluir precisam se livrar do egoísmo.

De qualquer jeito, obrigado por ter escrito o livro. Realmente me ajudou a não me sentir tão sozinho.

No depoimento a seguir, este jovem nos revela questões importantes a respeito de seu jeito de ser tão "diferente", com dons ativados, o que para seus pais e mesmo para a maioria das pessoas pode parecer estranho e até coisa de louco. Ele revela-nos, corajosamente, esse seu lado mais íntimo, em que seus poderes se manifestam e ele exercita um aprendizado gradual e um amadurecimento, no sentido de lidar com eles e de aplicá-los de modo adequado, útil para ele e para seus semelhantes. Fala-nos, ainda, de conhecimentos e informações que traz consigo desde sempre e que, por enquanto, não pode revelar integralmente. Ele nos fala sobre anos rebeldes, medos, suas diversas memórias de vidas passadas e seu dom de antever e de curar.

Eduardo, 19 anos

Oi, Ingrid! Vou começar contando algo que creio que você não saiba. Existem quatro Índigos principais, responsáveis por cada energia deste mundo: a energia universal que todos os humanos têm, a energia da natureza, a energia mística que é ligada à magia e eu, que sou responsável pela quarta energia índigo, que só aparece em períodos de mudanças na Terra, como vai acontecer até 2056. Literalmente, somos guerreiros e anjos do mais alto escalão angelical, mas não posso te contar tudo... Os animais no mundo espiritual são chamados de elementais, que são energia materializada, como fogo, água, terra e ar, eles não são do tamanho natural, são bem maiores e também falam e são guerreiros. Meu lobo se chama Ueithing, que significa lobo dos ventos do oeste. Esses animais são muitos ativos aqui na nossa dimensão, para a proteção da humanidade contra o mal, embora nem todos os animais sejam elementais. E também, aqui no nosso planeta, existem muitas coisas que são ditas como mitos, mas que não são. Ele se apresentou a mim com 15 anos, me protegendo de um ser negro, e também me deu uma espada, e sinto a presença dessa espada em casa. Com relação aos meus dons, eles estão mais fortes e tenho novos. Uma vez, quando fiquei extremamente irritado, que é algo raro de acontecer, pois sou muito paciente, mas desobediente (rsrsrs), as coisas da minha escrivaninha começaram a mexer e a luz do meu quarto não ficava apagada. Meu primo estava comigo e saiu correndo de casa. Fui um adolescente diferente dos outros, nunca dei valor ao que eles davam em termos de moda, beleza e tal... Mas, claro, sou humano aqui e fiz coisas rebeldes também, como beber, fumar. Em relação aos medos de criança, é como se fosse um grau de ansiedade alto, em uma escala de 0 a 10, estava no nível 8. A psicologia, eu escolhi por conseguir tocar pessoas frias com minhas palavras, pois descarrego energia quando falo com alguém, mas não sou muito de falar, fico mais observando tudo ao meu redor. Eu vim à Terra para ajudar. Eu fui queimado em Alexandria quando a biblioteca pegou fogo. Tenho uma marca de nascença no braço, vim bem antes, mas não me recordo de tudo no momento em que te escrevo. Fui cigano na Espanha, bruxo, índio, ou seja, várias coisas.

Meus sonhos continuam acontecendo, mas agora posso prever estando acordado; sei quando alguém está doente ou vai desencarnar, e consigo curar alguém com minha energia. Também sou constantemente acordado no meio da noite por mudanças energéticas ou seres místicos que estão por perto. Vim na família que vim para ficar escondido até chegar a hora dessa energia aparecer, e minha família tem descendência de pessoas com as outras energias, por isso vim nela. Bom, por enquanto, é só, pois cada coisa ao seu tempo, quero passar meu conhecimento para você.

Se quiser perguntar mais coisas, fique à vontade!

Beijos e fique com nosso Pai!

Capítulo 18
Adolescência: um tempo e um espaço de transformação e de despertar

É bom ser um buscador...
porém, cedo ou tarde,
tem que tornar-se alguém que encontra.
Richard Bach

Um Novo Olhar

Para lançar um novo olhar ao ser humano, precisamos compreender que renovar o olhar implica expandir nossa consciência de modo a alcançar novos e mais complexos padrões e sistemas, dentro de um Universo complexo e multidimensional. Segundo o Prof. William Tiller, *a evolução humana está caracterizada e limitada pela penetração do espírito na matéria densa.*

Tiller percebe *como estruturas organizativas que podem ser neurais em um nível, mas que são de natureza sutil em outros níveis.*

Tais estruturas são necessárias para proporcionar uma "planta-esqueleto" para a substância do espírito.

Em sua tese *Universos paralelos,* Everett demonstra que *a complexidade pode ser essencialmente medida empregando-se a Teoria da Informação, que diz que quanto maior o número de interações com o universo exterior, mais o conheces. Quanto mais informações podes extrair do universo externo, maior é a complexidade interna.*

Quando olhamos a nós mesmos como seres multidimensionais, podemos entender que o processo evolutivo afetará todas as capas estruturais de nossa essência, simultaneamente. O impacto fundamental sobre nós, como seres conscientes de nós mesmos, irá depender do grau de interconexão, equilíbrio e coerência que exista na organização do sistema.

É fundamental que se entenda que a evolução humana se caracteriza por "descobrir" a existência de "novas" dimensões e circuitos sintonizáveis em nossa dinâmica energética. Tais dimensões existem como elementos da criação e são acessíveis desde que somos seres multidimensionais. Somos assim configurados e capacitados, basta fazer a escolha de buscar a evolução da consciência. Expandir nossa atenção implica nos darmos conta de que podemos alterar de forma consciente a nossa dinâmica arquitetura interna, e assim expandimos nossa visão angular para englobar porções cada vez mais amplas desta criação, conforme Dubro e Lapierre.

Tais informações e noções são importantes e necessárias para compreendermos um pouco mais de nossa caminhada evolutiva e lançarmos um olhar realmente novo às novas gerações.

Quem são os adolescentes de agora?

Eles são os novos agentes de mudança e de transformação entre nós. Sentem tudo com muita intensidade, vivem tudo de forma profunda e potencializada por serem adolescentes, mas principalmente por pertencerem às novas gerações Índigo e Cristal. Por serem "almas velhas", quer dizer, antigas, com ***imensa bagagem de informações*** e dons incríveis ativados, eles necessitam ser ouvidos. Estão aqui como voluntários, pioneiros de uma nova consciência, humanos evolucionários trazendo informações, visões, esclarecimentos e orientações sobre os próximos anos de vida aqui na Terra. São seres crísticos, de vibração cristal, a nos ajudar em nosso processo de humanização, ou seja, deixarmos o estágio de apenas aparência humana para nos transformarmos em seres humanos de fato. Conforme podemos encontrar no livro *A Revelação, as crianças "leem" o seu próprio DNA, assim como vós ledes as palavras. Elas leem a mente de Deus porque estão conscientes dela, dentro dela e unidas a ela. Nasceram com uma conexão inata e são incorruptíveis. Seus terceiros olhos, suas vozes interiores, seus canais de cognição suprassensoriais estão ligados como uma herança natural de cada criança nascida.* Sendo que muitos entre nós, jovens e adultos, são mutantes e já experimentaram esse nível de consciência uma ou outra vez e de alguma maneira. Eis a primeira geração de cocriadores, seres humanos divinos constituindo a primeira geração de Cristos naturais.

Atualmente passam por muitos problemas e atribulações em virtude de não serem compreendidos nem aceitos. São até rejeitados e tratados como doentes que precisam ser afastados do convívio e medicados para que seus poderes "estranhos" e seu modo meio "fora da casinha" sejam anestesiados e anulados, evitando, assim, um incômodo e desconfortável convívio com aqueles que justamente são diferentes porque vieram para nos questionar e confrontar com tudo que é antigo, velho, obsoleto e insustentável diante de nosso processo evolutivo como humanidade e como planeta. Esses jovens necessitam que um novo olhar lhes seja dirigido. Precisam ser vistos sem preconceitos, sem os véus da ignorância e do desamor, sem os vícios das lentes tradicionais e conservadoras.

Nossos adolescentes anseiam por respirar livremente sem as pressões familiares, sociais e escolares para que digam e façam o que o "sistema" instalado espera deles. Necessitam, com urgência (!), de um olhar verdadeiramente humano, sensível e aberto, receptivo. Esses jovens clamam por um olhar realmente novo, pleno de compreensão e de acolhimento, que os abrace com amor verdadeiro, dignificando sua condição de "novos seres humanos", nem melhores, nem piores do que ninguém, apenas diferentes. Eles nos pedem, com fervor e "súplica", alguns preciosos minutos de escuta verdadeira.

Perceba a intensidade desse sofrimento, da sensação de sufocamento e da necessidade desesperada de ser visto e ouvido, nestes depoimentos:

Somente agora, aos 24 anos, passei a compreender-me e a descobrir-me como um ser Índigo. Passei anos numa viagem interior de autodescoberta. Após lutar desde os 12 anos com a adição, compulsões e padrões doentios de estilo de vida, finalmente, libertei-me dos cigarros, do álcool e até do uso ocasional de drogas, às quais recorria para me ajudar a entorpecer os meus sentimentos. Consumia-as para enfrentar a dor que via à minha volta e o medo e confusão profundamente instalados dentro de mim.

Sempre rebelde, vi-me envolvida com as situações e pessoas mais excitantes, perigosas e, por vezes, loucas. Cresci procurando formas de quebrar as regras e sair impune. Infelizmente, as coisas saíram do controle e tornei-me dependente do álcool. Sentia-me só, zangada e frustrada e, lá no fundo, tinha muito medo de sentir-me culpada ou de estar errada.

Assim que parei de beber, o véu da ilusão caiu e passei a ficar fascinada pela vida, pelo corpo, buscando só alimentos e bebidas naturais. Maravilhada com a criação, tudo se tornou claro. Comecei a confiar no processo e a compreender os ciclos e ritmos da vida e de mim própria, do meu corpo. Surgiram-me memórias de experiências transcendentais que eu tinha regularmente quando era criança, e passei a orar e meditar.

Trata-se de ser eu mesma, simplesmente. Não sou nem DDA, nem DDHA, nem bipolar e nenhum rótulo ou condição. Até certo ponto, isso inclui o termo Índigo, apesar de o mesmo não ser um peso para mim.

Estou a fazer o melhor que sei para deixar brilhar a minha luz, apesar dos meus medos, dúvidas e do meu ego a dizer-me que tudo isso não passa de disparates. Agora sei que as sensibilidades e a percepção que, por vezes, me causaram tanta dor são, na verdade, a minha bênção e não uma maldição. (*Katharine Dever, página 271 do livro* Crianças Índigo dez anos depois, *de Lee Carroll e Jan Tober, edição portuguesa)*

O depoimento dessa jovem traduz não apenas a dor da invisibilidade de sua condição como adolescente, mas também a intensidade de suas buscas por caminhos, portas alternativas para expressar sua alta sensibilidade, suas percepções aguçadas e diferenciadas quanto à vida e à realidade à sua volta. Ela explicita claramente de que forma a comida, o álcool e outras drogas são experimentados como tentativas desesperadas de anestesiar a dor, de se desviar do indesviável sentimento de ser e de saber que é alguém diferente do que esperam que seja. Em outras palavras, a experiência e a compulsão por alimentos e drogas, além de saciar a curiosidade ativa, tão natural dos adolescentes, muito mais do que isso, é uma tentativa de escapar do encontro consigo mesmo e de sua condição de mutante, de agente transformador ainda em transformação.

Além disso, o depoimento dessa jovem ilustra a questão da dualidade e da experiência intensa de viver entre a luz e a sombra, entre a bênção e a maldição, como ela refere. E sua luta ferrenha com a própria sombra, que lhe conduz a comportamentos desequilibrados de vícios e compulsões que afetam sua saúde física, emocional, mental e social, bem como espiritual. Mas que, ao mesmo tempo, ao final de um ciclo de sofrimento, de transmutação e de transformação, a conduziram à transcendência que houvera experimentado em sua infância. Ela ressurge mais consciente e madura. Certamente, mais conectada agora com sua essência divina, com Deus/Amor/Vida e, mais centrada, pode perceber como uma bênção aquilo que houvera sido antes percebido como maldição. Eis a descrição do processo de "despertar" de uma jovem que pode ser visto e entendido também como um período de experiência culminante, portanto, altamente transformador.

Eis o que pode e deve ser a adolescência nos próximos anos de nossa evolução, um período de transformação e de renascimento, onde as mutações e alterações físicas, bioquímicas e emocionais sejam minimizadas, aliviadas, até mesmo recodificadas através de uma massa crítica de seres humanos de consciência mais expandida e baseados no **Amor Maior e Incondicional** que manifestará total empatia, compreensão, aceitação e acolhimento às crianças e aos adolescentes. De modo que novos códigos e memórias serão agregados e gravados no DNA da espécie humana, modificando pelas bases e na essência sua expressão e manifestação sobre a Terra. Serão códigos de luz fotônica advinda das mais elevadas dimensões e gravadas nos átomos e nas células dos novos humanos, permitindo que eles, assim capacitados, tanto fisicamente quanto mental e energeticamente, prossigam em sua jornada evolutiva como almas e façam escolhas cada vez mais conscientes e elevadas, de acordo com o Plano Maior e com seu papel e propósito dentro dele.

Adolescência sob diferentes ângulos

A inteligência está presente em todos os pontos do espaço e pode ser representada através do poder de pensamento.

Nikola Tesla em *A parede de luz*

Depois de rever um pouco o que significa a adolescência em nossa caminhada humana e após algumas reflexões e chamados, digamos, mais eloquentes aos pais, adultos e também aos jovens, consideramos ser agora o momento supremo e sublime de juntos buscarmos novos tempos e novos espaços de exploração dessa etapa de nossas vidas, inserida num tempo, numa época. Vamos expandir a visão e o entendimento sobre uma idade tão profícua em ideias, sonhos, energia vital e disposição para mudar o mundo.

Vamos nos dedicar a compreender sob outros ângulos de que forma os adolescentes de agora sentem, percebem e vivem suas transformações físicas, emocionais, sociais e espirituais. Devemos considerar aqui que as mudanças físicas e emocionais são, normalmente, as mais evidentes e, por isso mesmo, as mais consideradas pelos pais, familiares e professores.

No entanto, como se trata das novas gerações Índigo e Cristal, precisamos destacar, reconhecer e conhecer algumas de suas características e aspectos, digamos, não convencionais, relacionados à vibração energética, à consciência mais expandida e à espiritualidade. Além disso, algumas informações da física quântica e da Teoria das Cordas e das Supercordas nos serão úteis, já que vivemos num universo e num planeta também dinâmicos e mutantes como é a Vida.

Assumindo uma visão holística e compatível com a visão mais ampla e evolucionária do ser humano, e com base também na Psicologia Transpessoal e Interdimensional, **lembramos que esses jovens nascem dotados de uma capacidade natural de acessar níveis diferentes de realidade,** dimensões muito além da terceira e da quarta e conhecimentos pertinentes a essas dimensões mais elevadas. Fazem isso naturalmente, sem ter que usar drogas ou substâncias psicoativas. Tampouco devem ser considerados loucos ou desequilibrados por isso. Eles são seres humanos com uma dimensão espiritual mais desenvolvida, e muitos vão demonstrar bem cedo seu senso de justiça, sua fé, sua conexão com a natureza e seus elementos e seres, sua preocupação e desejo inabalável de ajudar o próximo, de atuar em nível comunitário e global para ajudar a cuidar e a curar as pessoas e o planeta. Demonstram urgência em relação a temas como a sustentabilidade planetária, a supressão das guerras e de tudo que seja competitivo, bem como em relação à cura das doenças e a espalhar o amor pelo mundo. Vieram, como eles mesmos dizem, para manifestar o paraíso na Terra.

Comecemos por algumas considerações importantes a respeito da visão transpessoal e interdimensional.

A Psicologia Transpessoal vê o ser humano em seus aspectos biopsíquico e espiritual de forma interligada, tanto coletivamente como com o todo cósmico. Ela integra os chamados "estados modificados" de consciência, encarando os níveis superiores dessa mesma consciência como potenciais de cura, transformação e evolução humana. Eis por que esse olhar e essa abordagem terapêutica representam uma renovação no campo da psicologia e um alento para os pais, professores e jovens das novas gerações. Sabemos que muitas das manifestações de dons dessas crianças e jovens envolvem comunicação com outras dimensões e seres extrafísicos, mediunidade, cura instantânea, previsão de acontecimentos como a morte ou doença de pessoas próximas, movimentação de objetos, "interação" com aparelhos eletroeletrônicos, de modo a interferir no seu funcionamento, o que pode assustar, trazendo a preocupação e o medo em relação a loucura ou patologias. Assim sendo, a Psicologia Transpessoal vem acalmar e contribuir para a compreensão e o apoio terapêutico em muitos desses casos.

Já a Psicologia Interdimensional constitui um novo e recente caminho para a psicologia e está dando seus primeiros passos, aliada à chegada das novas gerações, as quais irão ajudar a fundamentar e organizar o corpo de conhecimentos e as práticas dessa novíssima escola da psicologia. Por enquanto, podemos dizer que se trata de um olhar que amplia ainda mais a visão da Psicologia Transpessoal, abrangendo não apenas os estados ditos modificados de consciência, como também todas as comunicações e interações com as outras dimensões, incluindo seres dessas dimensões e seres humanos que partiram mas seguem se comunicando, seja para confortar seus familiares ou para continuar alguma missão terrena, agora como mentores que colaboram com os seres humanos aqui na Terra.

Prosseguimos com algumas informações e considerações a respeito de um atributo ou, melhor dizendo, uma condição humana, a multidimensionalidade.

Devemos considerar que cada um de nós é um reflexo do Infinito. Somos uma parte da totalidade que percebemos externamente como Universo; no entanto, as limitações de nosso sistema perceptivo convencional nos induzem erroneamente a acreditar que estamos separados. Fomos educados para nos desenvolver como indivíduos com um ego e uma personalidade, com uma identidade, e claro que isso é necessário para nosso exercício e jornada terrestres. O problema é que fomos treinados a aceitar tal condição de individualidade e separatividade como a única e absoluta realidade. Assim, sentimos que a experiência da vida é uma série de eventos lineares. Ainda nos atrapalhamos e confundimos com a noção de que espaço e tempo são as únicas coordenadas com as quais podemos definir nossa existência. Entretanto, não fosse por ilusão ótica criada pelo espaço e tempo, não seríamos capazes de manter uma sensação de eu e de identidade, em um mundo em constante mudança. Tal ilusão pertence ao nosso mundo e realidade tridimensionais, ou seja, à terceira dimensão.

A Matriz ou Matrix

Estamos inseridos numa Matriz ou Matrix (do inglês). Lembram-se dos filmes daquela trilogia que passou nos cinemas e causou impacto? A Matrix consiste na ordenação adequada de símbolos (normalmente números) no espaço. Em duas dimensões, essas ordenações são chamadas de linhas (na horizontal) e colunas (na vertical). Nós todos somos emanações divinas presentes eternamente no ***AGORA***. De acordo com David Ickem, tudo que observamos são nossas criações mentais. Tempo e espaço são conceitos ilusórios que criamos, formando uma prisão que podemos chamar de Matriz ou Matrix. A única Verdade é o Amor Infinito, todo o resto é ilusão.

Toda a realidade dos cinco sentidos humanos é uma ilusão que apenas existe na forma sólida, concreta, porque nosso cérebro/mente humana faz com que percebamos dessa forma. O mundo 3D (Terceira Dimensão) de paisagens, mares, edifícios, paredes, móveis e corpos humanos existe nessa forma apenas quando olhamos para ele. Quando não estamos olhando, ele é somente uma massa de campos vibratórios e códigos, contendo infinitas possibilidades de realização e de concretização. No filme *Matrix*, a Matriz é representada, vista de fora por uma série de números verdes e códigos, enquanto, no interior, ela é vista e vivenciada como o tipo de mundo em que nós pensamos que vivemos, com montanhas, mares, ruas, edifícios, pessoas etc.

Conhecereis a verdade e a verdade vos libertará.

Na prática, grande parte do que conhecemos e reconhecemos como verdade e realidade é mentira, ilusão. Existem entidades, como os manipuladores reptilianos, draconianos, greys e seus fantoches sob a forma humana, além da própria Matriz que nós criamos, que nos repassam informações erradas (mentiras, ilusões) visando a nos escravizar, retirando nossa liberdade, sugando nossa energia (como vampiros energéticos) e nos retirando o poder. Ficamos reféns de nós mesmos e apartados de nosso maior poder, que é justamente o Amor, cujo atributo fundamental é a Consciência. Assim, deixamos de usar nosso livre-arbítrio e de fazer, verdadeiramente, escolhas. Nós achamos que somos livres e que escolhemos de livre e espontânea vontade torcer por aquele time ou filiar-nos ao partido político X, Y ou Z. Na verdade, estamos sendo manipulados, direcionados dentro da Matriz, cuja principal característica é o medo. Nessa vibração tão baixa e densa somos constantemente acionados a criar imagens em nossa mente, pensamentos de situações que envolvem insegurança, culpa, raiva, inveja, desejo de lutar, de matar ou morrer e, logo, reagimos com emoções e sentimentos igualmente negativos, baixos e densos, todos filiados ao medo. Quanto mais fazemos isso, mais os nossos manipuladores se contentam e ganham poder sobre nós, pois seu principal alimento é o medo. Caso não tenham parado para pensar, para observar-se e aos outros, ***o medo nos paralisa, enfraquece, emburrece, nos desumaniza.***

Uma das mentiras mais enraizadas em nós é o conceito ilusório de separação espacial e temporal. Tal mentira contém em si a vibração do medo e daí partem todas as outras ilusões e mentiras que nós criamos.

Portanto, uma ilusão só pode lhe controlar quando você acredita que ela é real. Quando observamos nossas experiências diárias, na verdade, estamos olhando num espelho de nós mesmos. Não culpe os outros, muito menos seus filhos ou seus pais, pois isso significa aceitar que os outros têm poder sobre sua vida e sobre a realidade que você cria. O caminho da libertação passa, exatamente, por assumir a responsabilidade de suas escolhas de forma amorosa e consciente, e decidir que escolhas fará a seguir.

Mudanças de paradigmas

Assim, para compreender algumas características e dons das novas gerações, bem como as necessidades e peculiaridades de sua forma de ser e de existir, aqui e agora, necessitamos adotar a visão de um novo paradigma científico, para além da Matriz ou Matrix:

> *não somos apenas seres multidimensionais, funcionamos energeticamente como seres multidimensionais em todas as nossas interações, particularmente aquelas que dizem respeito a nossa essência como seres eletromagnéticos.* (*Entramados de Conciência,* Peggy P. Dubro e David Lapierre, *p. 58)*

A partir dessa visão e desse paradigma, nosso olhar a respeito do mundo se torna "natural" e "normal", o que antes era considerado estranho, misterioso, paranormal e sem solução. Paradigma diz respeito a um modelo de realidade que prevalece na ciência ou em uma área específica da mesma. Um paradigma ou visão a respeito da realidade e do mundo pode perdurar por décadas e mesmo séculos, limitando e impedindo a expansão da consciência, da evolução humana e do próprio paradigma. Foi assim que, durante muito tempo, se acreditou que a Terra era o centro do Universo. Criaram-se esquemas e imagens que fundamentavam tal paradigma, o qual era ensinado nas escolas e aplicado a tudo, restringindo a percepção de mundo e de realidade de toda uma época e de gerações.

Quando um paradigma muda, tudo no mundo também muda. É como se trocássemos a potência e a cor de nossas lentes, capacitando-nos a perceber mais longe, com mais detalhes e de novas perspectivas e até dimensões. Nesse sentido, a Teoria da Relatividade de Einstein e todos os avanços das teorias da Física Quântica são exemplos de mudanças de paradigmas. A partir destas, nossa percepção do mundo e do ser humano sob a ótica mecanicista e separativista mudou radical e profundamente.

O mundo quântico desvendou-nos que a consciência participa e tem um papel ativo em formar nossa realidade. O desafio atual é definir o papel interativo entre matéria, propósito e consciência. Matéria e consciência não podem ser separadas, e a consciência interage e influi no reino virtual dos campos eletromagnéticos. O próximo desafio é desenvolver a física interdimensional que unifique a consciência na grandiosa equação. (*Entramados de Conciencia*, p. 60)

No mundo quântico, a realidade das partículas e da matéria não respeita a passagem do tempo, como nós fazemos. Nesse mundo predomina um estado de não tempo e de não espaço. Trata-se de uma realidade virtual. Assim, uma partícula pode compartilhar simultaneamente sua existência com seu próprio passado e com seu próprio futuro também. Significa que, em termos de realidade quântica, nossa mente e nossa consciência podem estar, ao mesmo tempo, aqui no meu escritório e também na pracinha onde eu brincava quando criança, e ainda conversando com minha melhor amiga e outras e mais outras possibilidades. Tenha agora muito claro que as crianças e os jovens das novas gerações nascem com a mente quântica! Então, é assim que eles funcionam e se comportam a partir desse novo paradigma, que já não é tão novo. Esses jovens são capazes de pensar e de fazer várias coisas diferentes com uma facilidade e naturalidade impressionantes, porque, inclusive, são multilaterais. Ouvir música, cantar, ler um livro e falar ao telefone eles fazem e nem notam que alguns adultos ficam aflitos e até se incomodam com esse seu modo de ser.

Esses meninos e meninas que estão entre nós são capazes de se comunicar rapidamente, sem usar palavras, com muitas pessoas ao mesmo tempo, e se usarem a internet e as redes sociais, são capazes de mudar o mundo, e já o estão fazendo! Você não percebeu?

Continuando mais um pouco com essa "sopa cósmica" que tanto nos interessa aqui... Uma partícula como um elétron leva informação de seu passado e de seu futuro dentro de sua própria essência, assim, todos os eventos acarretam a propriedade de conectividade, independente da distância física. Esta é uma propriedade incomum, chamada de não-localidade. Os eventos do mundo quântico estão simultaneamente conectados, inclusive em finais distintos do Universo!

O que é essa realidade oculta, invisível, essa rede que unifica e interconecta tudo?

Ora, as partículas como elétrons possuem consciência de seu entorno externo e são influenciadas pela informação do mundo externo, de acordo com as pesquisas e observações dos cientistas. Podem sintonizar-se e entrar em ressonância, bem como responder a informações recebidas. As observações mostram que tais partículas dançam num compasso e padrão como se estivessem sendo regidas por um maestro de uma orquestra refinada. Tal compasso e ordem são a influência organizada advinda do chamado campo eletromagnético. Os fótons de luz conhecidos como "mensageiros" repartem e trocam informações com os elétrons do interior do campo. ***A luz, segundo os físicos, é um reflexo da quinta dimensão, pois se origina num espaço dimensional "superior".***

Imagine você que nosso corpo humano emite fótons de luz, os biofótons, desde o interior do DNA, e quanto mais carregado estiver o campo eletromagnético, mais ativa será a troca de informações! A informação contida em nosso campo eletromagnético, que envolve a cada um de nós, é o que nos proporciona nossa consciência expansiva. Esse campo é o responsável por organizar a estrutura e a forma da substância que chamamos de matéria. Sem o campo eletromagnético, não haveria a possibilidade de existir nenhum objeto sólido, portanto, nem nosso corpo físico. Fica claro que a luz conduz os padrões codificados, as informações para a nossa consciência. Daí que se diz: consciência é luz! Isso é válido tanto do ponto de vista metafórico quanto do ponto de vista científico. Desde o ponto de vista multidimensional, a luz está conectada ao campo mental dos seres humanos!

Essas breves considerações já são suficientes para demonstrar que estamos vivendo e testemunhando uma verdadeira revolução na ciência e, consequentemente, na nossa percepção e compreensão da realidade.

Multidimensionalidade

O termo multidimensional pode ser entendido desde distintas perspectivas. Aqui, neste contexto, está sendo aplicado para dizer que, se vemos o tempo – passado, presente e futuro – como existindo todo ao mesmo tempo, então nossas experiências vitais estão todas acontecendo em realidades paralelas ao mesmo tempo. A separação dessa multiplicidade de vidas existe apenas dentro de nosso limitado conceito de tempo, de nossa visão linear. A multidimensionalidade pertence e situa-se ao âmbito do chamado Hiperespaço, o qual diz respeito às dimensões que se encontram além das três dimensões habituais do espaço e do tempo. No Hiperespaço não há espaço nem tempo, todas as ações são instantâneas. Ele pode conter, matematicamente falando, dois ou mais espaços tridimensionais no mesmo lugar e ao mesmo tempo.

Vejamos um rádio, ele pode conter mais de uma emissora ali, no mesmo "espaço", e podemos selecionar e sintonizar aquela de nossa escolha. Os sinais de emissão de um rádio simplesmente se "empilham" num mesmo "espaço" do Hiperespaço, porém em diferentes fases, frequências e amplitudes. Cada característica diferente é uma nova "dimensão" para a existência de um padrão de vibração. Cada sinal pede um sistema de circuitos específicos de sintonização. Quanto aos sentidos humanos, podemos fazer uma breve analogia com o funcionamento do rádio e dizer que funcionam de acordo com padrões vibratórios limitados.

A única forma de acessar dimensões mais elevadas e as informações nelas contidas é ser um sintonizador adequado. Um sintonizador limitado é ignorante quanto à existência de outras dimensões ao seu redor. A evolução humana se caracteriza pelo descobrimento da existência de novas dimensões e circuitos sintonizáveis dentro de nossas dinâmicas energéticas. (*Entramados de Conciencia*, p. 65)

Nossos sentidos físicos humanos, ao mesmo tempo que nos são úteis e necessários para a existência na Terra, limitam nosso conhecimento quanto às numerosas dimensões que nos rodeiam, portanto, quanto às infinitas possibilidades de realização e de cocriação. Expandir nossa consciência significa retomar nossa consciência original a respeito de nosso poder original de alterar conscientemente nossa dinâmica interna e também a realidade externa que nos rodeia.

Imagine, tome consciência de que as crianças e os jovens de agora são multidimensionais, nascem com a consciência expandida, acessam diferentes e mais elevadas dimensões e níveis de realidade, logo, acessam informações. Além disso, possuem capacidades de estar em diferentes dimensões e realidades ao mesmo tempo, afetando essas realidades somente com sua consciência e intenção.

Canalização

Agora vamos considerar o que Cristo nos relata na Carta 1 do livro *Cartas de Cristo*, acerca de uma segunda etapa de sua adolescência e de sua permanência por seis semanas no deserto, logo após ter sido batizado por João Batista, nas águas do Rio Jordão. Diz Ele:

Fui elevado no interior de uma luz radiante e me senti maravilhosamente vibrante, vivo e com poder. Eu estava cheio de êxtase e alegria e sabia, sem dúvida alguma, que aquele poder era o verdadeiro Criador, do qual todas as coisas criadas haviam recebido o seu ser... Fui elevado dentro de uma outra dimensão de percepção consciente, que me permitiu ver a verdade com relação à vida e à existência. Vi, lúcida e claramente, o que era real e o que era falso no pensamento do homem. Compreendi que aquele "Poder Criativo" que eu estava experimentando era infinito, eterno, universal, que preenchia todo o espaço além do céu e dos oceanos, da Terra e de todas as coisas vivas. Vi que aquilo era o poder mental. Era o poder criativo da mente. Não havia ponto onde não existisse aquele "poder criativo da mente divina". Percebi que a mente humana originava-se da divina mente criativa, mas que era somente uma vela iluminada pelo Sol.

Às vezes, minha visão era tão espiritualmente elevada que eu podia ver através das pedras, da terra e da areia. Estas, então, pareciam ser simplesmente "minúsculas partículas de brilho cintilante".

Eu percebi que nada era realmente sólido!

Quando eu tinha momentos de dúvida de que aquilo pudesse ser assim, as mudanças no fenômeno deixavam de existir, e muito mais tarde eu descobri que: meus pensamentos, se fortemente impregnados de convicção, poderiam causar mudanças no "cintilar das partículas" (coisa que a ciência chama hoje de partículas carregadas eletricamente) e, portanto, produzir mudanças na aparência da pedra ou de qualquer outra coisa que eu estivesse estudando.

E ainda mais impressionante foi a abertura da minha mente, a compreensão em "consciência cósmica" de que a aparência de tudo poderia ser profundamente afetada pela atividade do pensamento humano. (*Cartas de Cristo*, p. 40)

Este livro, cujo conteúdo são nove cartas que o próprio Cristo transmitiu a um canal por ele preparado, durante quarenta anos, para que pudesse receber, com a mínima influência possível do ego humano, esclarecimentos, correções e ajustes aos antigos textos bíblicos, é uma rara e preciosa fonte de informações, de respostas para muitas de nossas dúvidas. É um instrumento, um "caminho" de expansão de consciência para quem se dedicar a sua leitura e releitura diária com atitude meditativa. Não é incrível que encontremos essas declarações sobre o período da adolescência de Cristo, que nunca havia sido relatada e permanecia como uma página em branco até então? Não é impressionante que nesse belíssimo relato, do qual citamos apenas uma pequena parte, o próprio Cristo nos fale sobre a sua adolescência e nos diga como aconteceu seu processo de expansão de consciência e seu "despertar" através da experiência terrena, como ser humano?

E observem que essa transmissão de conteúdos, feita ao seu canal, foi possível justamente com base nas informações que aqui resumimos, a respeito dos novos paradigmas da ciência. Tal transmissão se chama "canalização" e é realizada há séculos por muitos seres humanos que se comunicam com seres de outras dimensões mais elevadas. Mas, infelizmente, como eram coisas "inexplicáveis" e "estranhas" para as mentes lineares e limitadas, muita gente foi para a fogueira e até hoje recebe agressões, é estigmatizada e constrangida. Pois bem, a canalização nada mais é do que uma forma de comunicação de que todos nós dispomos, estamos capacitados a realizar. É o que, por exemplo, muitos médiuns e videntes qualificados fazem e, assim, prestam um grande e inestimável serviço à humanidade, aplacando dores incuráveis e curando feridas de almas, salvando vidas.

Precisamos considerar com muita atenção tudo isso, porque as crianças e os jovens das novas gerações nascem com esses talentos e dons também.

Os adolescentes da geração atual e das próximas gerações carregam em si um DNA muito mais ativado e a consciência de quem são em essência. Trazem para nós a espiritualidade-criatividade divina viva e potencializada. São catalisadores capazes de nos despertar de um sono profundo relacionado à já mencionada crença de que somos separados de Deus/Vida/Amor e dos outros seres. Atentemo-nos ao que nos diz a respeito a futuróloga americana Bárbara Marx Hubbard, em seu precioso livro *A Revelação*: *Em nossa adormecida e controlada criatividade encontraremos toda a energia e conhecimento exigidos para cocriar um novo mundo. Este é o chamado de Cristo para todos nós. Para SERMOS como ele é, para fazer o que ele fez. Não é um dogma, é a libertação da humanidade de um trauma antiquíssimo – o da separação de Deus. Essa é a verdadeira essência da cocriação. Deus é Criador, Fonte, Amor, Inteligência. Cada um de nós se tornará semelhante a Deus por intermédio da plena expressão de nossa criatividade numa amorosa ação que nos faz evoluir, bem como ao nosso mundo.* (p. 315)

A autora escreveu esse excelente livro para nos tornar acessíveis os conhecimentos contidos no livro do Apocalipse sem nenhuma conotação ou indução religiosa limitante, pois, para muito além de rótulos e paradigmas terrenos, seja qual nome for, Buda, Jeová, Adonai, Alá, Cristo, Tao, Brahma, entre outros, todos conduzem ao Inominável, como dizem alguns hindus.

Diante da magnitude dos talentos, dons, certezas, energia e luz das novas gerações, devemos admirar, honrar e acolher com humildade e gratidão a bênção e dádiva que eles são para todos nós. De modo algum significa que eles são melhores ou superiores aos pais e a qualquer ser humano. Eles não desejam assumir o papel e o lugar de seus pais e professores, como muitos poderiam pensar e sentir. Não se trata disso, e se alguns pais e professores pensam e sentem assim, é sinal de que precisam olhar para dentro de si e buscar a fonte, a origem de tais pensamentos e sentimentos. Certamente, se o fizerem com dedicação e disposição de se olhar de frente no espelho da verdade que os filhos representam, irão encontrar respostas e novas perguntas.

Pais, não sintam inveja de seus amados filhos e de toda a luz e autoconfiança que eles carregam em si! Para bem se relacionar e realmente acolher e ajudar seus filhos, vocês precisam primeiro reforçar a própria autoconfiança, e assim a autoconfiança de seus filhos, para que eles cresçam seguros e confiantes, sabendo que Deus/Amor/Vida está dentro deles e não fora.

Eles precisam ser ouvidos, acolhidos, compreendidos, orientados, e precisam encontrar seu equilíbrio interno, sendo quem são e como são! Necessitam encontrar seu espaço neste mundo terreno, mas sem sofrerem deboches e humilhações, sem serem reprimidos e sufocados.

Capítulo 19
As cordas e linhas

Cordas são linhas
As cordas de um violão
são as cordas
que regem a canção
Nenhuma corda desafina.
Não há conflitos,
só sentimentos,
suspensos, explícitos,
sufocados ou aflitos.
Essas cordas são linhas,
tão finas quanto
o fio de uma vida
as cordas de um violão
vibram como
os acordes sublimes
de um coração.
Ingrid Cañete

A realidade física, toda ela, pode ser modelizada como grupos de cordas, isto é, cordas interconectadas com cordas em qualquer escala de observação. Note-se como o DNA se parece com muitas cordas atadas em séries. A grande teoria das cordas tem lugar em um espaço de dez dimensões. Já a Teoria das Supercordas considera 26 dimensões. A partir desse conhecimento, as leis do nosso universo obtêm um ponto de definição inicial unificado. Embora imaginar essas 26 dimensões nos pareça inicialmente difícil, devemos considerar que as leis da natureza são as mais simples e fáceis de definir. De acordo com o físico Michio Kaku, autor do livro *Hiperespaço – uma odisseia científica através dos universos paralelos*, o espaço dimensionalmente superior é bastante "simples e geométrico". ***Talvez se nós, humanos, não fôssemos "maestros" em complicar a vida, poderíamos ver esse espaço com simplicidade e naturalidade.***

Sabemos que o espaço dimensional superior e sua percepção estão totalmente relacionados com nossa caminhada evolutiva e com nosso propósito de vida, com o sentido de estarmos aqui, agora. Precisamos nos reconectar com nossa essência e tal reconexão implica essa percepção. Afinal, as cordas e as linhas da geometria sagrada envolvem a todos e contêm nosso projeto original, como um plano de voo, com todas as diretrizes detalhadas nos mínimos detalhes, tanto que o projeto de um pássaro, por exemplo, com toda a variedade de pássaros que há, só existe de uma determinada maneira porque cada um deles possui um projeto que se materializa exatamente como está "escrito" ou "gravado" no projeto. Isso também vale para todos nós, humanos, e para tudo o que existe. O planeta Terra também está envolvido por essas linhas e cordas e estamos todos unidos através delas, como numa grande rede de interconexões, como numa teia, a chamada Teia da Vida. E, assim, somos interdependentes e nos inter-relacionamos todos com todos, de acordo com o princípio da Unicidade.

É por isso que se diz que "tudo que fazes ao outro, fazes, em realidade, a ti mesmo", pois tudo e todos estão ligados por essa fina e sutil teia, formando um circuito complexo e multidimensional, multissensorial e interdimensional, para muito além da 3D.

Você já deve ter ouvido a expressão "o Universo é uma grande sinfonia", não é? Por que será? Justamente porque a geometria do Universo mostra-nos como a sua "estrutura" de organização é constituída de linhas e cordas de energia e eletromagnetismo que envolvem cada objeto, cada ser, cada planeta. E o mais importante e maravilhoso de tudo: a "novidade" é que as crianças e os jovens das novas gerações estão nascendo capacitados para ver e perceber tais linhas e cordas e para acessar tais dimensões superiores. Eles fazem isso naturalmente, à medida que forem aceitos, acolhidos e respeitados em todos esses dons, aspectos e atributos constituintes de seu projeto e geometria sagrada. Dá para imaginar a dimensão de tal salto evolutivo que nós todos estamos dando, juntos?

Vamos ver um dos inúmeros depoimentos que recebemos e que exemplificam esses dons e poderes trazidos por esses jovens e como eles os vivenciam numa família, numa sociedade que ainda não os compreende nem aceita, e muito menos respeita:

William, 22 anos

Quanto à minha adolescência, posso dizer que foi um pouco conturbada, pelo fato de as pessoas, inclusive entes da família, me cobrarem intensamente sobre qualquer área da minha vida. No colégio, minhas notas nunca foram boas, sempre passei de ano, como é costumeiro dizer, "raspando" pela porta. No campo das amizades, acabei construindo um muro psíquico entre mim e as pessoas ao meu redor, pelo fato de ninguém me compreender, mas hoje sou capaz de perceber que, na verdade, eles é que não estavam prontos para assimilar tudo o que eu tinha para lhes informar.

O tumulto de informações que chegavam à minha mente (quando digo chegavam, quero dizer que não eram informações do dia a dia, mas sim informações que me surgiam como lances de memória) nunca cessava. E o gênero dessas informações era e continua sendo sempre sobre temas variados: filosofia, física, geologia, história (fatos de nossa história terrena), mas o que sempre se destacou para mim foi o fato de discutir questões religiosas com facilidade e a adaptabilidade que possuo para com novas línguas. Tudo isso desde criança.

Esses relatos de crianças e jovens a respeito dessas percepções e do acesso às dimensões superiores e ao hiperespaço, nós já escutamos e observamos pessoalmente muitas vezes. Certa ocasião, uma menina de 6 anos, que estávamos atendendo em consultório, quis deixar um desenho no quadro-branco da parede, para mim. Ela nos desenhou com todos os detalhes e, ao final, fez linhas na horizontal e na vertical se cruzando sobre nosso corpo e com o formato de uma espécie de "ovo". Mesmo entendendo o que significava, perguntamos a ela se estava nos vendo com essas linhas e ela respondeu de forma tranquila e muito natural: sim, eu estou vendo. E logo se virou para o quadro para fazer uma pequena correção numa das linhas.

Em outra ocasião de atendimento em consultório, um menino de 11 anos, a partir de uma conversa entre ele e sua mãe e de um desenho que fazia no papel, uma espécie de esboço, percebemos que ele estava conectado a algum tipo de "fonte" de informação e perguntamos se queria expor suas ideias usando o quadro-branco. Ele praticamente voou até ele e começou a falar e desenhar seus esquemas, explicando com uma velocidade difícil de acompanhar conhecimentos incríveis sobre o hiperespaço, outras dimensões, planetas longínquos e seus propósitos, para onde vão as almas mais desenvolvidas, como Einstein e Steve Jobs, o que estávamos correndo o risco de sofrer nos próximos anos, aqui na Terra, se as coisas continuassem como estavam... Eu e sua mãe ficamos impressionadas e fazíamos perguntas às quais ele respondia com facilidade e rapidez sem parar para pensar, de forma que parecia que estava "baixando" conhecimentos e informações direto de uma "fonte", sendo ele o canal, o instrumento transmissor.

A chave para compreender um espaço dimensionalmente superior é dar-se conta de que o "espaço superior" nos situa em um ponto vantajoso, o qual nos proporciona uma perspectiva global, universal e holística. Desde esse ponto, desaparece a distinção entre observador e observado. Você se converte em observador e observado ao mesmo tempo. Desde o espaço superior podemos apreciar o grandioso ponto de vista – a poesia e a razão dessa experiência que chamamos vida na Terra e no século XXI. É nosso grandioso propósito recordar e reconectar nossa própria essência multidimensional individual. (Peggy P. Dubro e David P. Lapierre, p. 69)

Somente para dar uma ideia, nossa atividade cerebral medida por um aparelho eletroencefalográfico não é mais do que um murmúrio e um reflexo de uma oculta função cerebral do espaço superior. O eletromagnetismo é um reflexo de atividade de quinta dimensão; tal atividade oculta não pode ser medida e quantificada através dos meios convencionais.

Pretendemos aqui apenas oferecer algumas noções sobre este tema vasto, complexo e em franca expansão, pois consideramos essencial instigar a todos em suas buscas e também contribuir com a expansão de consciência e com a abertura da mente, do coração e de todos os sentidos para que um novo olhar a respeito de si mesmo e de seus filhos, alunos, amigos possa se transformar, facilitando e engrandecendo as comunicações e os relacionamentos.

Recapitulando, então: somos seres multidimensionais com habilidades hiperespaciais. Como seres humanos físicos, estamos equipados com ferramentas eletromagnéticas de acesso ao espaço superior ou Hiperespaço. Utilizando tais ferramentas, funcionamos de forma mais consciente como seres multidimensionais que criam sua realidade. Possuímos habilidades inatas hiperespaciais que "acontecem" em nosso inconsciente. Somente a intenção nos conecta conscientemente aos nossos mecanismos hiperespaciais. A intenção serve para guiar e dirigir energias cruzando portais interdimensionais. Eis o caminho para criar novos eventos em nossas vidas, de acordo com Dubro e Lapierre. Assim, navegar através das geometrias interconectadas no espaço superior se converte num processo interdimensional. Imagine que distintas geometrias ou padrões geométricos definem as diferentes "capas" de nossa noção de espaço complexo. A consciência navega e transpassa essas capas geométricas de toda a existência. Nosso desafio é buscar a reconexão e a harmonização das diferentes geometrias, através do que chamamos de ressonância.

Assim, para entender nossas relações e interações com os demais, como seres eletromagnéticos, devemos dirigir nossa atenção ao Hiperespaço, já que os fenômenos eletromagnéticos e o magnetismo humano se originam no espaço superior. Lembrando que o eletromagnetismo, assim como a luz, é uma onda ou uma vibração de quinta dimensão, conectada à distorção da geometria do espaço superior. A física atual está começando a relatar tudo isso.

Capítulo 20

As redes e a comunicação em redes

A educação é a capacidade de perceber
as conexões ocultas entre os fenômenos.
Vaclav Havel

Podemos conceber, sem grandes delongas, a Vida como uma grande teia, já dissemos, como uma imensa e complexa rede de interconexões e inter-relações com diferentes níveis transcendendo em muito o que chamamos de realidade e de vida aqui na 3D ou Terceira Dimensão. Inclusive, existe um belo livro sobre esse tema, *A Teia da Vida*, de Fritjof Capra, para quem desejar se aprofundar no assunto.

Interessa-nos aqui mencionar que a vida em rede é uma realidade tanto no nível micro quanto no nível macro da existência e que, nesta rede ou teia, estamos todos envolvidos, fazendo parte do tecido e, ao mesmo tempo, sendo aqueles que tecem, criando novas e mais novas conexões. À medida que vivemos, descobrimos algumas das infinitas conexões ocultas nessa fina e delicada rede de cordas e linhas por onde circula toda a energia, vibração e luz com potencial de criação e materialização de distintas realidades.

Uma rede se define, basicamente, pelo número de nós interligados por elos. O atributo distintivo, diferenciador e definidor de uma rede é o que emerge da completa interação entre esses nodos ou entre essas partes, de acordo com Ernesto Van Peborgh. As redes são sistemas dinâmicos cujas mudanças constantes estão associadas à adição de novos nós e conexões. Em um mundo interconectado, as ligações são a única chance de sobrevivência para nós, afirma o autor.

Do ponto de vista social, em qualquer grupo ou rede é possível sempre identificar indivíduos que congregam, aglutinam outras pessoas, inspirando-as ou provocando-as. Eles parecem ter o dom de animar, de dar vida a qualquer encontro. Possuem uma espécie de liderança e de poder para conectar outras pessoas.

Podemos observar que a época atual, com a chegada das novas gerações e, através delas, a criação da internet e das redes sociais, parece ter se transformado de muitas maneiras, especialmente do ponto de vista social e dos relacionamentos, com a comunicação ganhando possibilidades diferentes de se realizar com rapidez, expansão, propagação e efeitos inimagináveis, tanto que novas e mais novas redes de relacionamentos se formam diariamente e se transformam constantemente. Assim, podemos observar e constatar que o poder de influenciar se distribuiu, se propagou e se democratizou. A rede ou web é descentralizada, o que significa que nenhum nó depende de toda a rede, e assim como outras redes, ela se auto-organiza constantemente.

Diferentes conteúdos e interesses levam à formação de diferentes grupos e membros que podem pertencer a diversas comunidades, ao mesmo tempo. Isso é o que fortalece a rede, gerando circulação viral de informação, conhecimento e inovação. A web é um ambiente complexo que se constitui num novo meio de comunicação que exige o aprendizado de uma nova linguagem que funcione como forma de gerenciar as informações e os recursos de modo produtivo, útil e elevado. Esse novo ambiente exige de todos nós um preparo e amadurecimento para ser utilizado de forma organizada, madura, consciente e sábia.

Por que estamos falando sobre as redes? Exatamente para salientar que estamos diante de um novo paradigma que, aliás, se transforma constantemente e nos propõe novos paradigmas e novos desafios ligados à relação com nós mesmos, com os outros e, especialmente, com as crianças e os jovens das novas gerações. **Eles já nascem capacitados e "programados" para funcionar em rede, para se comunicar, viver, conviver, pensar, trabalhar criar e cocriar em rede.** E nós, os pais, os professores, os adultos, como estamos lidando com essa nova realidade? Como estamos reagindo com essa nova forma de ser e de existir de nossos jovens? Será que estamos abertos e dispostos a aprender com eles, a ouvir o que eles têm a nos dizer e ensinar? Será que estamos, de verdade, nos propondo a observar, a descobrir a partir deles e, junto com eles, a aplicar o conceito de redes em toda a sua amplitude e complexidade?

Capítulo 21

Diga não à violência contra crianças e adolescentes

Vamos banir a violência contra as crianças e os jovens, aqui na Terra? Qual é a sua escolha, seja você um adulto ou um jovem, qual é a sua escolha hoje?

Vamos todos fazer escolhas mais conscientes?

Vamos nos deixar cristalecer?

Em meio ao noticiário e às informações escancaradas pela internet, essa rede criada pelas novas gerações para promover a transparência e a verdade, doa a quem doer, sentimos necessidade de propor algumas reflexões sobre o tema violência contra crianças e adolescentes.

Quando assistimos a um multiplicar-se assustador de casos de violência e negligência (outra forma de violência terrível!) contra a infância e a adolescência, estamos diante de um sintoma de gravíssima enfermidade social. Tal sintoma atesta-nos, com todas as letras, que algo vai muito mal na Terra! Se viemos aqui para exercitar, através das dualidades bem/mal, belo/feio, contra/a favor, doce/azedo, nossa alma a caminho de nossa evolução, visando a um retorno à Unidade, parece, através de todos esses exemplos que ouvimos e vemos todos os dias, que estamos, na verdade, retrocedendo, andando na contramão da nossa história, voltando à barbárie. Diante desse sintoma de grave enfermidade, propomos algumas reflexões, caro leitor.

Tome consciência de que precisamos fazer uma profunda limpeza e cura de nossos padrões ancestrais, principalmente aqueles relacionados à violência! Herdamos a crença de que bater em criança é um "método educativo" e levamos isso adiante, extrapolando em muito os limites da antiga "palmada educativa". O que desejamos salientar é que abrir o precedente para a palmada, algo que nossos antepassados estabeleceram, escancarou a porta para todo tipo de violência, tanto física quanto psicológica, contra as crianças, incluindo bebês e adolescentes. Quando se admitiu, no passado, que dar palmada ou bater, mesmo que de leve, em criança seria legítimo, se admitiu que a violência com crianças é permitida. Porque bater ou dar palmada é agressão, sim! Bater e dar palmada em crianças é admitir também que o descontrole emocional com as crianças é permitido.

Se a base na qual se fundamenta um suposto "método educacional" é de violência, tudo que derivar daí também será violento. E violência, como sabemos, gera violência! Quando uma mãe jovem, instruída, adota por método educativo bater em seu filho de apenas 1 ano e meio com um cinto, e acha isso natural, tal conduta está a nos indicar que algo vai muito mal com essa mãe e também com esta nossa sociedade dita humana, já que esse comportamento e outros ainda mais graves se multiplicam cada vez mais. O problema é essa crença está instalada no inconsciente coletivo e simplesmente domina o comportamento de parte significativa da sociedade. Acontece que tal coletivo está sendo dirigido pelo seu cérebro reptiliano, aquela região do cérebro mais primitiva que não passa pela consciência nem pela razão! Comportamentos assim dirigidos são perigosos justamente porque não passam por nenhum filtro, simplesmente se manifestam automaticamente, repetindo um padrão, digamos, adquirido.

Para mudar tal condição humana, precisamos urgentemente investir em campanhas permanentes que envolvam governos e sociedade civil, todas as formas de mídia e as instituições de ensino. Campanhas não apenas de informação sobre o óbvio, que é mostrar que não se deve bater nas crianças e que existe penalização legal para tal crime. Isso faz parte, mas é muito pouco! As campanhas precisam levar em conta a sensibilização, a informação e a conscientização da população e não apenas a penalização ou punição, já que tal postura só reforça as crenças de violência instaladas. Tudo isso faz parte de uma Matrix de Medo que nos domina e manipula há muito tempo!

É fundamental que tais campanhas falem e demonstrem a importância do Amor como condição essencial para se educar verdadeiramente! Tenho assistido a debates e entrevistas com especialistas da psicologia, psiquiatria e direito sobre a questão da violência entre os jovens e as crianças e não vi ainda (!) ninguém que sequer citasse a palavra Amor durante essas entrevistas! O Amor é a força mais poderosa e fundamental de todas! Foi o Amor que nos gerou e gerou todas as formas de Vida. É no Amor que devemos buscar a cura de todos os nossos males! E não falo aqui no Amor apenas de forma romântica ou ingênua, falo no ***Amor como a única força capaz de fazer a verdadeira Revolução***, de transformar as relações na família, na economia, nas religiões, na política, na educação e na sociedade como um todo, além de na relação desta sociedade com o Planeta e o Cosmos!

Portanto, que fique bem claro: bater e dar palmada em crianças e adolescentes não pode! Como não pode castigar, torturar, machucar fisicamente ou psicologicamente! Não pode humilhar, ridicularizar, constranger de forma alguma! E isso não pode nem entre adultos, mas com os menores está proibido! E isso está na lei nº 8.069, que dispõe sobre o Estatuto da criança e do Adolescente! Mas as leis são frias e, embora necessárias, não farão a verdadeira e profunda mudança de que necessitamos!

Precisamos renascer pelas bases, sendo urgente que façamos a Revolução da Consciência! Pense nisso e ajude a disseminar a semente do Amor e da Consciência!

Capítulo 22
A questão do propósito de vida

No mais profundo do teu ser, tu sabes por que vieste aqui, pois teu coração o sabe. Tu vieste para semear uma nova classe de ser. Isso vai contra a sociedade, pois vieste para construir uma sociedade nova. Vieste para te converter em construtor de um novo enfoque e de uma nova sociedade.

Mestre Djwhal Khul

Mas eu ainda estou em busca de algo mais e sei que vou encontrar, cada vez mais, um pouco dessa Verdade que sempre me moveu e que me fez seguir em frente. Incomoda muito a falta de um propósito explicitamente social relacionado ao meu trabalho.

Juliana, estudante de Brasília

Encontrar um sentido para a própria existência parece ser essencial a qualquer ser humano. De fato é. Na atualidade, as queixas feitas por pais, professores e sociedade em geral sobre a conduta "insolente", "arrogante" e "descompromissada" dos adolescentes passa, justamente, por essa questão.

Os adolescentes, em sua maioria, parecem andar sem rumo porque carecem de uma consciência de quem são, de qual é o seu propósito de vida e de qual é a sua missão aqui na Terra. Quem anda sem saber por que, nem para onde, é claro que está sujeito a ser levado para qualquer direção, a qualquer preço. Quem assim caminha não exerce o direito de sua liberdade/livre-arbítrio e não se responsabiliza, não se compromete. Nem poderia se responsabilizar ou comprometer! Sem consciência, não há solução! A expressão "rebeldes sem causa", que muitos utilizam para se referir aos jovens, traduz esse estado de ser, de grande parte dos adolescentes. Acontece que ***esses jovens de agora sabem, em seu íntimo, que existe uma Verdade Maior***, um Sentido para estarem aqui nesta existência, na Terra. Eles intuem fortemente isso e sentem a força de seus dons e energia vibrando em cada célula, em cada átomo de seu ser, em sua mente, em seu coração. Sentem e sofrem as inquietações de quem sabe intimamente tudo isso, mas, ao mesmo tempo, sentem-se tão diferentes e percebem os olhares de estranheza e de rechaço da família, dos outros. Sofrem, porque, como humanos, desejam ser aceitos, amados, acolhidos, reconhecidos e honrados. Vivem na profunda e crucial dicotomia entre "tentar ser" um humano autocentrado, como os outros parecem pedir que sejam, e, por outro lado, ser quem realmente são, em essência, seres universais, sintonizados e conectados com o todo, multidimensionais. Como afirmou a estudante Juliana, em um longo depoimento que nos enviou durante a leitura de *Adultos Índigo: Não tem sido fácil, continuo com minhas inquietações e buscas, às vezes inconformada com muita coisa que vejo e me sentindo muito diferente.*

Do ponto de vista espiritual, suas almas de vibração Índigo também estão passando por uma transição, a chamada Transição Índigo-Cristal. A maioria desses jovens que hoje estão aqui, na faixa dos 17 a 27-28 anos de idade, é composta por Índigos vivendo não apenas a transição da infância para a adolescência e, depois, para a vida adulta, mas concomitantemente a transição de uma vibração Índigo para uma vibração Cristal. Já os jovens que hoje se encontram na faixa etária entre 11 e 16 anos podem ser considerados todos pertencentes à vibração Cristal. Alguns entre eles, nascidos a partir de 2010, poderão ser as chamadas Crianças Arco-íris. Cada grupo evolutivo possui um nível de vibração tal com um nível de consciência expandida que lhe corresponde e permite acessar níveis de realidade e dimensões específicas, de acordo com seu grau de desenvolvimento. Todos são almas antigas, isto é, já estiveram tanto aqui na Terra como em outras estrelas e planetas. Assim, carregam uma imensa bagagem de conhecimentos e experiências. Daí serem indivíduos que, desde a infância, denotam maturidade acentuada e surpreendente, do ponto de vista da cronologia.

Somente os seres de vibração Arco-íris, que nos chegam ainda em pequeno número, nunca estiveram antes na Terra, são aquelas crianças que não carregam nenhum tipo de carma e que dizem para seus pais, desde pequenos: "Mamãe, tu és a minha primeira mãe!", e também: "Mamãe, sabe que eu nunca morri? Meu irmão, sim, já morreu algumas vezes, mas eu não". Essas crianças afirmam com naturalidade espantosa: "Eu sou Arco-íris!".

O processo evolutivo está em marcha e, independente de nomenclaturas, que são úteis apenas para fins de estudo e pesquisa, temos que estar atentos e observando, pois algumas crianças dizem que não são de nenhum desses grupos evolutivos. Cada grupo de almas possui características diferentes, necessidades distintas, e nenhuma delas veio para se encaixar simplesmente aos padrões existentes, mas para ajudar a fazer mudanças e a transformar nosso planeta num lugar mais evoluído, mais pacífico, justo, fraterno. **Então, não podemos mais insistir em forçar no sentido de fazer com que se adaptem totalmente às regras e comportamentos obsoletos e primitivos que ainda vigoram aqui na Terra.** Sabemos que outros grupos de almas estão chegando aqui para nos ajudar a acelerar nosso processo de expansão de consciência e de evolução como seres espirituais, passando por uma experiência humana. Temos que nos preparar constantemente para recebê-los e ajudá-los a realizar seu propósito e missão neste planeta!

Essa caminhada é especialmente delicada e difícil, na medida em que a maioria dos pais, professores e adultos, em geral, desconhece ou sabe pouco a respeito das características e das necessidades específicas dessas vibrações de alma. Caso você deseje conhecer mais e estudar sobre as novas gerações e o processo de evolução humana, busque os livros *Crianças Índigo, Crianças Cristal e Adultos Índigo,* desta autora que vos escreve, além das indicações dadas na bibliografia de todos eles.

Diante dos jovens adolescentes de agora, estamos sendo chamados com urgência a abrir nossos olhos, não apenas os olhos físicos, mas principalmente os olhos do coração, da alma!

Então, pergunta-se: **Como ajudar os jovens a se encontrar e descobrir seu propósito e missão de vida?**

Em primeiro lugar, eles precisam ser ouvidos, de verdade, com atenção, interesse e amor incondicional. Isso precisa acontecer com regularidade, fazer parte das relações diárias com os pais, os adultos. Lembrando que uma escuta verdadeira e de qualidade pode ser aprendida e exercitada. Para isso, é preciso realmente querer, se dedicar, parar e procurar lembrar, por exemplo, de pessoas que lhe ouviram bem, como elas olhavam, como era sua postura, como demonstravam que estavam entendendo você. Como você se sentia ao ser ouvido de verdade e compreendido? Inspire-se nesses exemplos, é um bom caminho.

Ouvir não é apenas escutar com os ouvidos o que a boca está dizendo, ouvir de verdade implica observar atentamente e com todos os sentidos o outro, nesse caso, o jovem, percebendo-o. O que diz seu olhar? O que demonstra seu gestual? Como está seu ânimo, sua vitalidade? Que cor de roupa está usando hoje? Como se arrumou para sair ou começar o dia? Como está sua voz? E sua postura, o que nos indica? Como acordou hoje? Como foi dormir ontem? Que acontecimentos marcaram seu dia anterior ou que experiências está tendo e que, embora não fale em palavras, seu ser parece querer comunicar? E por aí vai... ***A escuta verdadeira é um ato de amor e exige muita dedicação e constante aprendizado.*** E, como tudo na vida, quanto mais se pratica, melhor tendemos a nos tornar, não é mesmo?

Bem, à medida que escutarmos mais e melhor os jovens, teremos um canal e uma porta abertos para nossa comunicação fluir, e isso é fundamental para qualquer tipo de ajuda. Lembrando que, ao praticar a escuta atenta e de qualidade, estaremos ensinando, pelo exemplo, os jovens a ouvir de verdade. Tal condição, depois de desenvolvida por eles, vai ajudá-los em suas relações e comunicações em geral, sedimentando a base para relacionamentos mais saudáveis e maduros, pacíficos.

Com a porta aberta e o canal limpo é recomendável que se criem momentos ou se aproveitem oportunidades naturalmente criadas para perguntar ao jovem, por exemplo, se ele sabe que possui uma missão nesta vida, se já parou para pensar sobre isso. Pode-se perguntar se acredita que veio a esta vida somente "a passeio" ou se veio para realizar algo importante, dar alguma contribuição ao mundo. Outra possibilidade é trazer algum exemplo de talentos já manifestados por esse jovem (por exemplo, cantar ou pintar) e perguntar se ele acredita que nasceu para fazer isso. E, na sequência, perguntar o que gostaria de fazer para ajudar a tornar o mundo melhor, mais pacífico, harmonioso, justo e assim por diante. Há que sentir a forma e a pergunta que mais se adapta ao jovem e ao momento, com naturalidade e sem pressão, com genuíno interesse.

Outra forma de ajudar os jovens é, desde cedo, já na infância, estabelecer junto com ele o compromisso de contribuir para com a vida em família e para isso ter de realizar algumas tarefas, como dobrar e guardar suas roupas, colocar as roupas para lavar no local adequado, ajudar a secar uma louça, a varrer, a pôr a mesa, tudo de acordo com a idade, mas sempre mostrando o valor e a importância de ser útil e de contribuir. À medida que vai crescendo, o jovem pode e deve assumir compromissos com grau de responsabilidade maior, como ajudar a fazer a lista e as compras no supermercado, depois ajudar a carregar e a guardar as mesmas nos lugares, aprender a cozinhar coisas simples e que até vão lhe ensinar a se defender na vida e a não ser tão dependente dos pais ou dos adultos. Tais aprendizados devem ser combinados sem autoritarismos, mas com amor e firmeza, e devem ser reconhecidos e valorizados à medida que são realizados. Pois, assim, o jovem vai se abastecendo de sentido, de direção, de autoestima, já que se sente capaz, útil. Ele vai, dessa maneira, descobrindo também seus talentos e capacidades, habilidades antes desconhecidas. Pode ir se autoconhecendo e, aos poucos, escolhendo quais dessas habilidades deseja desenvolver mais e se dedicar a elas.

Esse é um caminho para se edificar a personalidade e o caráter dos jovens e também de se prevenir a sensação de vazio decorrente da falta de sentido que se facilmente se instala quando o jovem tem uma vida muito fácil em que tudo lhe cai nas mãos sem que ele nem precise pedir ou mesmo sentir falta de nada.

É de grande importância também, nesse sentido, que se utilizem estímulos como livros e filmes propostos aos jovens para depois se fazerem comentários, dialogar. Os pais podem até mesmo pedir que façam um resumo crítico, que assinalem questões que mais lhe tocaram ou chamaram a atenção, perguntas que o livro ou filme tenham lhe trazido para que, então, conversem depois. Essa é uma forma de se aproximar dos filhos, de abastecer o vínculo afetivo, a conexão com eles e demonstrar interesse, além de um belo caminho de troca e de conhecimento dos filhos.

Outra forma de ajudar o adolescente a desenvolver sentido para sua vida e encontrar seu propósito de vida é estimular, conforme a idade, a realização de estágios profissionalizantes ou não, trabalhos voluntários e visitas a creches, asilos e escolas, todos carentes de um olhar amigo e mais humano. Essas são formas de ampliar o olhar sobre o mundo, sobre os semelhantes, percebendo as diferenças, as necessidades e as carências, sendo instigado a buscar, dentro de si, formas criativas de ajudar, de cooperar.

Lembramos aqui de uma máxima que escutamos, certa vez, de uma adolescente, e que vale para todas as idades, mas especialmente para a adolescência: ***mente vazia, oficina do diabo***. Significa que a ociosidade excessiva deve ser evitada, especialmente entre os jovens, pois abre espaço para que a mente seja ocupada por conteúdos perniciosos e prejudiciais, principalmente se esses jovens ficarem muito sozinhos, solitários. Essa jovem explicou-nos por que estava sempre lendo, indo ao cinema e ao teatro, se ocupando. Disse que não queria pensar em bobagens nem desperdiçar seu tempo e energia com coisas que não valiam a pena. Além disso, ela estava se dedicando a correr e a fazer outras atividades físicas, com o mesmo objetivo.

Assim, cabe sugerir também que uma das formas de estimular os jovens é o esporte, dentro de sua diversidade, ajudando-os a experimentar e encontrar algo que lhes dê prazer e divertimento ao mesmo tempo, que possibilite relações sociais e o desenvolvimento de valores e atitudes saudáveis diante da vida, como disciplina, coragem, cooperação, mesmo dentro das competições, respeito, limite, lealdade, honestidade, espírito de equipe, autossuperação, entre outros. Além disso, a prática de esportes e de atividades físicas traz inúmeros benefícios para a saúde física, mental, energética e espiritual, possibilitando condições de equilíbrio e de harmonia para o ser como um todo.

Recomendamos fortemente que seja incutido nas crianças e nos adolescentes a noção clara de que Deus, o Espírito de Deus, habita dentro delas e também de cada adulto. Existe uma carência nos tempos de agora pelas coisas do espírito. Os jovens necessitam urgentemente ser estimulados a se voltar para dentro e a repetir, diariamente, como um mantra, algo como: **Eu sou magnífico, eu carrego o amor e a luz de Deus dentro de mim.** Eles necessitam ser lembrados que são seres que chegaram numa época especial com uma missão também especial e, para isso, precisam saber que são perfeitos à imagem e semelhança de Deus, de nosso Criador. Eles trazem a vibração da Unicidade consigo e precisamos ajudá-los a manter essa consciência forte e firme, mesmo diante dos maiores desafios que a vida possa oferecer. É importante ressaltar que Deus, aqui, não tem nenhuma conotação religiosa, simplesmente refere-se a essa Força Maior, ao Amor, à Vida que habita dentro de nós e que organiza, atualiza constantemente todas as formas de vida no planeta e no Cosmos.

"É o momento para que vocês, meus amigos, afastem os velhos modos e amadureçam para este novo modo de pensar e de educar os filhos, pois novos modos de aprendizagem e de ensino devem ser adotados, para que o seu mundo entre na nova era da Luz e da Vida. Eles são as crianças e os jovens de hoje, que são mais preciosos e que serão os mostradores do caminho de um novo mundo, onde a Lei do Um reina suprema na mente, acima de todos os credos e doutrinas. Usem o que aprenderam e o ensinem aos seus filhos, pois eles compreenderão e o ensinarão aos seus filhos, eles compreenderão bem mais do que vocês imaginam e levarão esse conhecimento a um nível mais elevado e utilizarão os seus significados e valores em uma idade mais jovem e transformarão as suas jovens vidas para adquirir consciência e concretizar frutos espirituais ainda maiores do que a geração dos seus pais."

Mestre Ophelius, por Chris

Capítulo 23
Como podemos desenvolver um novo olhar?

Com a mais pura intenção de contribuir e ajudar vocês, pais, filhos, professores e todos que buscam neste livro um algo mais para avançar em sua caminhada evolutiva, oferecemos a seguir algumas dicas e sugestões de pensamentos, práticas, atitudes e estilo de vida que poderão ser acessadas e adotadas livremente, conforme a intuição e a sensibilidade de cada um. Escute sua voz interna, que vem de sua essência, e escolha aquilo que tiver ressonância com você, com seus anseios e buscas, com esse momento.

Existem muitas outras possibilidades e caminhos, técnicas e ferramentas que estamos certos de que vocês irão descobrir e até desenvolver aplicando sua imensa criatividade e poder pessoal à medida que forem se libertando da Matrix.

Então, vamos lá:

– Seja gentil, pois gentileza gera gentileza.

– Irradie sua luz e saiba que luz atrai luz, semelhante atrai semelhante. É uma lei do universo.

– Reserve tempo diariamente para meditar, fazer silêncio, olhar para dentro. Aplique disciplina e crie esse hábito.

– Exercite sua respiração diariamente, tornando-a profunda e consciente, encontre seu ritmo de respirar.

– Pratique ser impecável com a palavra, pois é por meio dela que você expressa e manifesta tudo. Nela reside seu poder criativo para o bem ou para o mal.

– Escolha fazer o bem sem ver a quem, todos os dias, pois tudo que fazemos de bem ou de mal retorna para nós sempre. É uma lei do Universo.

– Não leve nada para o lado pessoal: se alguém o ofende sem conhecê-lo, está, na verdade, se projetando em você, então não dê poder a essa pessoa acreditando nela. Não aceite seu lixo emocional. Não leve pelo lado pessoal, simplesmente desconsidere. Só você sabe quem você é, então o que o outro diz sobre você não o afeta. Isso vale tanto para ofensas quanto para elogios. Você sabe que todos os julgamentos dos outros se referem a eles mesmos e não a você.

– Não tire conclusões sobre nada nem sobre ninguém. Faça perguntas para compreender mais e se esclarecer, tenha coragem de perguntar até que tudo fique bem claro, pois só assim não terá de tirar conclusões que o levem aonde não deseja.

– Dê sempre o melhor de si: em todas as situações, nem mais, nem menos. Tenha consciência de que seu melhor será melhor quando você estiver descansado, saudável, sóbrio, feliz, equilibrado.

– Faça seu melhor sem esperar recompensas, faça porque você ama fazer.

– Não se sinta uma vítima da vida, de seus pais, do sistema, dos outros, em qualquer circunstância. Você não é, nunca foi, nem nunca será uma vítima. Você é o autor de sua vida, o escritor do livro de sua jornada terrestre, o condutor de seu barco. Você é o único responsável por suas escolhas, por suas ações e pelos resultados. Aceite, assuma isso e sentirá muita paz interior.

– Exercite sua liberdade, dom divino que recebeu para usar com consciência e responsabilidade.

– Lembre que sua liberdade termina onde começa a liberdade do outro.

– Deseje sempre e somente o bem a todos, independente de conhecê-los e do que eles façam.

– Cultive a fé em você, no Amor, na Vida, em Deus.

– Sonhe e alimente seus sonhos acreditando em seu poder pessoal de realizá-los. Alguns você irá realizar mesmo, outros servirão para nutrir a alma e dar um colorido e um sabor especiais à caminhada.

– Cultive o bom humor.

– Pratique a gratidão diariamente, por tudo e a todos. Mesmo as experiências aparentemente ruins e as pessoas aparentemente más cumprem um propósito e devem ser consideradas oportunidades e mestres para nossa jornada. São elas que nos desafiam a enfrentar as adversidades e, assim, descobrir nossos talentos, forças e virtudes, além de fortalecerem nosso espírito nos conduzindo a novos degraus de evolução.

– Sorria sempre diante de qualquer pessoa e situação. Um sorriso vindo da alma, da pureza do coração, acalma, cura, transforma.

– Cante, cante e cante porque a música, sendo de qualidade (claro!), eleva nossas vibrações, cura e transforma.

– Faça uma oração diária, pois esse é o seu canal de comunicação e de conexão com o divino que habita dentro de você, dentro de todos nós.

– Contemple a natureza, simplesmente admirando-a em silêncio, em comunhão com ela.

– Respeite as leis da natureza e ensine seus filhos, alunos a respeitá-las.

– Respeite as leis espirituais.

– Respeite e cultive os valores elevados.

– Veja em cada pessoa, em cada ser, um outro eu e, ao encontrá-la, reconheça sua presença e faça uma saudação com amor e respeito, em todas as situações e lugares. Pode utilizar a saudação Namastê, pronunciando-a e juntando as duas mãos abertas na altura do peito e curvando sobre elas a cabeça como forma de reverenciar o seu outro eu que está à sua frente ou ao seu lado.

– Seja a paz que deseja ver no mundo.

– Seja você mesmo a mudança e a transformação que deseja ver no mundo.

– Ame incondicionalmente aos outros, independente de religião, nacionalidade, cor, time, partido político, gênero, inclinação sexual.

– Não sinta medo e não alimente o medo nem as emoções que derivam dele, como raiva, culpa, inveja, dúvida, insegurança. A vibração baixa do medo bloqueia, paralisa e atrai pessoas e situações de baixa vibração.

– Ame e confie.

– Busque a consciência sempre com dedicação.

– Acredite, nós estamos aqui transformando o mundo, então...

Persista, insista, jamais desista!

Mantras e orações sugeridos

Apenas como sugestão, e porque já vimos que nossa mente é não linear, e sim multidimensional, multissensorial, e estando dentro de nós todo o poder, o verdadeiro poder de cocriar, aí vão alguns mantras para serem repetidos e praticados em voz alta ou apenas mentalizados com fé e intenção. Mantras são orações. Pratique e sugira, estimule seus filhos, alunos a praticarem como forma de educar a mente, de conquistar maior capacidade de concentração acalmando o ego, aquela parte da mente que facilmente se distrai e perde o foco. Você vai conquistar paz de espírito, atenção concentrada, serenidade e alta vitalidade somente se dedicando a praticar mantras e orações, que são uma forma de ativar o seu canal de conexão e comunicação com sua essência, com Deus/Amor/Vida.

– Eu me entrego, confio, aceito e agradeço.

– Eu estou em Deus, Deus está em mim, Deus e eu somos Um.

– Eu sou magnífico, eu carrego o Amor e a Luz de Deus dentro de mim, eu sou Deus.

– Eu sou luz, eu atraio luz.

– ORAÇÃO retirada do livro Cartas de Cristo – Textos complementares, indicada para ser praticada ao iniciar suas meditações. Ela é, em si, uma prática meditativa, então, após ler em voz alta ou baixa, como preferir, a sugestão é que fique em silêncio e medite durante alguns minutos para que a energia das palavras entre no mais profundo do seu ser e, assim, suas percepções se elevem. Com a prática diária, observe sem apego as transformações em você, em seus filhos ou em seus pais: ***"Pai-mãe-vida, tu és minha vida, meu constante apoio, minha saúde, minha proteção, o pleno atendimento de todas as minhas necessidades e minha mais alta inspiração. Peço que me reveles Tua verdadeira Realidade. Sei que é Tua vontade que eu seja plenamente iluminado/a e que eu possa receber melhor a consciência de Tua Presença em mim e ao redor de mim. Creio e sei que isso é possível. Creio que Tu me***

proteges e me guardas no perfeito amor. Sei que meu propósito final é te expressar. Quando falo contigo, sei que tu estás perfeitamente receptivo para mim, pois tu és a inteligência amorosa universal que maravilhosamente concebeu este mundo e o tornou visível. Sei que quando te peço para falar comigo, eu envio um raio de luz de consciência para a Tua Consciência Divina, e que, quando eu escutar, Tu entrarás em minha consciência humana e virás cada vez mais perto do meu espírito e meu coração, mais e mais receptivos. Eu confio meu ser e minha vida aos Teus cuidados". (p. 155)

– Oração a São Miguel Arcanjo: São Miguel é nosso "super-herói", como ensinamos às crianças; ele é especializado em nos ajudar com seu raio de luz azul-índigo, ativando em nós e ao nosso redor os atributos da força e da proteção energética diante de toda e qualquer negatividade, perigo ou ameaça física, energética e espiritual. Portanto, recomenda-se ter essa oração sempre à mão e dizê-la em voz alta, se possível, para dar-lhe mais poder. Pode ser lida dentro de casa, em todos os cômodos, para fazer uma "limpeza" energética/espiritual: "São Miguel Arcanjo, defendei-nos no combate, sede o nosso refúgio contra maldades e ciladas do demônio. E vós Príncipe da Milícia Celeste, pelo divino Poder, precipitai a Satanás e a todos os espíritos malignos que andam pelo mundo para perder as almas! Assim seja! São Miguel Arcanjo, rogai por nós!".

Não faças aos outros o que não queres que façam a ti.
Tudo o que fazes aos outros, o fazes também a ti mesmo.
Erich Fromm, em *Ética para Amador*, de Fernando Savater

Capítulo 24
Milhares de seres artistas invadem a Terra

O amor empático será um estado constante: uma comunidade de Cristos naturais sintonizando o projeto estabelecido por Deus, co-criando com seu modelo, cada um dando uma contribuição única, cada um emancipando o melhor que tem em si, sempre plenamente cônscio de Deus.

A Revelação – Bárbara Marx Hubbard

Nosso planeta está sendo literalmente invadido nessas duas últimas décadas por Índigos e Cristais do tipo Artistas (vide mais informações sobre os quatro tipos de personalidade das novas gerações no livro *Crianças Índigo, a evolução do ser humano*), os quais se mostram, desde crianças, com dons e inclinações artísticas das mais variadas. São, provavelmente, o grupo mais numeroso em relação aos outros três, ou seja, os Humanistas, os Conceituais e os Interdimensionais. Sabem por quê? Porque a arte é uma linguagem que vem da alma, sendo capaz de comunicar, de tocar as almas para muito além do tempo, do espaço e da materialidade, sendo um caminho de transcendência que acelera e facilita a evolução humana. A internet, com todos os seus canais de transmissão e comunicação em rede, tem nos possibilitado conhecer e reconhecer milhares de crianças e jovens com dons e talentos artísticos impressionantes, os quais nos levam às lágrimas com muita frequência.

Se observarmos as declarações desses jovens ao serem entrevistados quanto ao como se sentem fazendo o que fazem, seja cantando, compondo, desenhando, dançando, pintando, escrevendo... ficaremos ainda mais impressionados com a clareza, a delicadeza e a elevação de suas colocações. Eles expressam o que sentem no coração, na alma, e sentem da mesma forma o que expressam. Eles declaram que não saberiam nem poderiam fazer outra coisa na vida que não fosse cantar, dançar, pintar, ou seja, manifestar seus dons e talentos para emocionar, alegrar, encantar e fazer bem aos outros. Observem com atenção também as letras das músicas que eles escolhem cantar ou que compõem. Percebam o conteúdo de suas pinturas, de suas dramatizações e expressões artísticas de todo o tipo. Percebam que há sempre uma intenção de cunho fortemente amoroso, espiritual e transformador!

Alguns desses seres artistas, que vêm prontos para ajudar na cura planetária, trazem em si tanto talento e, ao mesmo tempo, tanta sensibilidade que, dependendo de como forem tratados, acolhidos e orientados, talvez não suportem tamanha carga diante do ônus pesado que o sucesso, a fama e o dinheiro lhes trarão. É preciso que pais, professores e adultos em geral, ao identificarem esses talentos à sua volta, tomem consciência de que terão de ajudar esses jovens. ***A ajuda deve ser no sentido de que eles consigam se autoconhecer, reconhecer seus talentos como dons divinos trazidos através deles, à Terra, com um propósito!*** Tais dons precisam ser constantemente desenvolvidos e honrados, sendo colocados a serviço dos outros para assim realizarem a missão a que foram destinados! Algumas condições serão importantes de serem cultivadas por esses jovens, com a ajuda de seus pais, mestres e professores, sendo que as principais são a consciência de propósito e a humildade. Além disso, cultivar os valores elevados, o respeito às leis da natureza, do Universo e o Amor Incondicional. É muito importante auxiliar esses jovens, desde crianças, a entender algumas limitações, riscos e perigos de viver num planeta ainda bastante denso e primitivo. Sem assustar ou intimidar, nem estimular o medo e a insegurança, é necessário mostrar que o caminho da saúde física, mental e espiritual é fundamental para conseguir manifestar seus dons e viver a fama e o sucesso com muito equilíbrio, sem naufragar diante das inúmeras tentações e distrações relacionadas ao ego.

Tais descaminhos poderão facilmente conduzir ao desequilíbrio, à doença e ao fracasso quanto à realização de seu propósito e missão sagrada aqui na Terra. E seria lamentável desperdiçar tão preciosa oportunidade.

Um exemplo da imensidão de tal desafio é o da genial cantora e compositora inglesa Amy Winehouse, que nos deixou precocemente, de forma triste e trágica. **Jamais devemos julgar a ninguém**, e sabemos que, se ocorreu desta forma, está tudo certo, pois ela fez certamente o seu melhor diante das circunstâncias e, de qualquer modo, cumpriu uma missão, oferecendo-se como um agente de transformação contundente, já que indicou a todos nós, especialmente aos jovens, que a qualidade das nossas escolhas determina os nossos resultados, sempre. Eis uma preciosa oportunidade de aprendizado e de "despertar" da consciência. Como tal, Amy deixou-nos um legado artístico impressionante e inigualável ao mesmo tempo em que se doou em nome de toda uma geração. Ela acabou expondo as consequências prováveis de uma hipersensibilidade aliada à genialidade que nossos jovens artistas carregam, uns mais, outros menos, as quais são condição e veículo de sua arte, mas, ao mesmo tempo, os colocam em situação diferenciada de profunda fragilidade e alta vulnerabilidade.

Daí que é necessário chamar a atenção de pais, professores e adultos em geral para que não se percam nos descaminhos do ego, do tipo: "Ah, meu filho é um artista, é um gênio, então vamos expô-lo de forma intensa na mídia por vaidade, por dinheiro, por fama". Muita atenção e cuidado! Protejam seus filhos desde crianças, identifiquem junto com eles seus dons e os ajudem a desenvolver algo tão precioso e sagrado. Algo que receberam não para benefício próprio, apenas e simplesmente, mas como dons ou presentes divinos a serem aperfeiçoados e honrados à medida que os aplicam a serviço do bem aos demais.

Adeus, Amy (Winehouse)

Quero partir
sem dizer
adeus
gostaria de ficar
se não fosse
a dor
Sinto que não sou
daqui, não sou
não me encaixo
nesse lugar
sou de outra
órbita
Nessa Terra-lar
vou como um zumbi
disfarçando feridas
caindo de bar
em bar

Eu sou a filha
preterida
fui traída
mal-amada
mas sou forte,
e fui em frente
resolvi viver
à sombra
de minha face
talentosa
abdiquei da luz
glamourosa
para ser apenas eu
Desgarrei
vivi a vida
com intensa
profundidade

encontrei dentro
de mim
tamanha precocidade
que ninguém
jamais entendeu
eu vim pronta
sem papel
nem fita
cheguei como
um presente
e mostrei logo
minha força
minha tenacidade
com alta sensibilidade
soltei a voz
com vontade
mas não quis
ser propriedade
me recusei
a ser controlada
nenhum rótulo
se encaixou em mim
Fugaz como
a lua quando
desce e desaparece
Sutil assim sem definição
tipo aurora boreal
Sou eu
pessoa feito ilusão
passei marcando
tudo a ferro
e fogo
queimei até a
última gota
da minha quinta-essência
amei até o fundo
do poço
desci ao calabouço
enfrentei demônios
terríveis e invencíveis
sonhei que poderia
renascer
Deixei-me desfalecer
Sôfrega, frágil
entreguei-me
à morte
como forma
de um recomeço.

Estou deitada
aos pés de uma
luz imensa
Se não me engano
acho que estou
no Céu...
Ingrid

Palavras finais

Subiremos até o topo da montanha mais alta, contemplaremos a paisagem lá de cima, respiraremos fundo todo o ar que nossos pulmões humanos permitirem, sentiremos, pela última vez, aqui, a pureza, a beleza, a imensidão de todo esse Agora materializado sob a forma de uma natureza febril e aquarelada que abriga seres de aparência humana em busca de manifestações e expressões que legitimem sua condição de verdadeiros humanos. Levantaremos nossos olhos aos céus em sinal de gratidão por todas as bênçãos recebidas e saltaremos de uma única vez, jogando todo o nosso ser neste abismo infinito de escuridão e luz. Soltaremos com absoluta confiança e fé o fio tênue e delicado dessa vida, sem nenhum apego, nada de remorso ou culpa, somente a paz de quem vislumbra a próxima linha e a próxima, e a seguinte... a teia inteira da Verdadeira Vida.

O convite está feito, vamos saltar para o próximo nível de nossa evolução humana e planetária?

Você quer dizer que a Lua não é real? Não é. E que tal o Sol? Também não é? Mas eu estou caminhando sobre a Terra, certo? Não, você está de pé sobre sua mente. OK, te vejo amanhã? Não existe amanhã. Está acontecendo agora, exatamente como ontem. Que hora são? Aquela que você pensa que é. Você está brincando, certo? Está me tirando um sarro? Não, é verdade, honestamente. Isso é realmente verdade? Sim, se você pensa que é! Somos uma Unicidade Infinita. Nós não podemos morrer e somos aquilo que escolhemos ser por toda a eternidade. O que acontece, nós fazemos acontecer e temos o poder infinito para mudar.

David Icke

Anexos

Filmes recomendados

Sugerimos aqui alguns filmes que poderão ser assistidos por vocês, pais e adolescentes, de preferência juntos, para que depois possam conversar, expandir e enriquecer seus diálogos diários. Professores podem utilizar tais filmes para promover diálogos e reflexões com pais, alunos e também com seus pares professores. Nossa orientação é que procurem assistir e utilizar esses filmes com um foco especial nas perguntas que eles nos trazem e propõem. Sugerimos que aproveitem tais perguntas para alimentar suas reflexões e meditações diárias, além de enriquecer seus diálogos na direção de expandir a visão e o entendimento sobre a adolescência, renovando realmente seu olhar!

Eis os filmes:

– *A culpa é das estrelas:* Este filme é baseado numa história real, contada em livro homônimo, e é de uma sensibilidade e beleza realmente ímpares! Além de mostrar e confirmar que o amor é a maior força que existe, capaz de transcender qualquer barreira, o filme nos confronta com uma verdade derradeira: a doença é realmente o caminho para a humanização e, consequentemente, para a evolução. Nossa existência neste planeta de dualidade e nossa natureza humana parecem mesmo "pedir" experiências culminantes em que a morte nos toque na fronte e invada nossos sonhos. É disso que trata essa história, compartilhando os exemplos de alguns jovens heróis que com a maturidade adquirida precocemente, aliada à criatividade, à coragem e ao despojamento típicos dos jovens, enfrentam as dores e perdas da doença e a morte iminente. A atuação dos atores é perfeita, a trilha sonora é maravilhosa e a direção vai além do lugar-comum, bem além... Trata-se de uma poesia e de uma metáfora feitas sob medida para o momento de caos versus organização em que nos encontramos. Estamos bem aqui, no "olho do furacão", tentando encontrar ou recobrar a lucidez, para assim valorizar o que realmente tem valor e descobrir ou resgatar o verdadeiro sentido da Vida. Esses jovens do filme mostram-nos, com maestria, entre risos, sorrisos e lágrimas, que as aparências e o tempo são mera ilusão. Demonstram-nos que a vida pode ser encantadora e que a eternidade é uma questão de amar profundamente e ser correspondido, muito mais do que de tempo linear vivido. Então, mesmo que por um segundo, um mês ou um ano, viver vale muito a pena! E, se existir realmente alguma culpa, ela só pode estar inscrita na Luz das Estrelas...

– *A família Beliér:* Trata-se de um filme francês que é simplesmente maravilhoso, uma obra-prima do cinema! É a história de uma família em que todos são surdos, menos a menina Paula, que tem a responsabilidade de ser a ponte entre seus pais e irmão com o mundo falado. Ela estuda, trabalha nas terras da família, que cria gado, e produz queijos, além de comercializá-los numa feira local. O filme é definido como uma comédia, e realmente é engraçado e divertido. Mas vai muito além disso, já que trata especialmente de três temas que nos são caros como humanos: por um lado, a diversidade, neste caso, relativa às chamadas "deficiências"; de outro lado, a questão da ligação dos pais com os filhos e a dificuldade de permitir que eles sejam quem são e desenvolvam sua independência e autonomia. Entre esses dois temas, o filme trata de uma questão por demais delicada e sensível, que é a entrada na adolescência aliada à descoberta de nossos dons e talentos, bem como o desafio de acreditar neles e honrá-los, tratando de desenvolvê-los. Paula, uma menina linda, forte, guerreira, é também portadora de um dom incrível, mas terá de enfrentar a difícil e, muitas vezes, intransponível barreira do entendimento e consentimento dos pais. Muitos de nós sabemos bem o que isso significa e o quanto pode anular o ser humano e "obrigá-lo" a ser quem ele não é, por toda uma vida. O sentido de vazio que hoje abunda em nossa sociedade e faz com que tantos jovens estejam confusos e perdidos, buscando nas drogas e em esportes hiper-radicais a adrenalina (leia-se emoção e sentido) para uma vida que levam sem saber por que, para que e nem para onde! O filme tem uma trilha sonora sensacional, a fotografia é bela, a duração é perfeita! São 106 minutos de pura emoção, divertimento e, para quem for assistir com todos os sentidos, o coração e a mente abertos, torna-se uma oportunidade para muitas reflexões e transformações pessoais. Afinal, o cinema é ou não é uma arte transcendental? O diretor Eric Lartigau foi muito feliz em todos os detalhes, especialmente na escolha dos atores que, não sendo famosos entre nós, tornam-se mais uma das gratas surpresas que o filme transborda. Por todas essas razões, e por se tratar de uma poesia em forma de filme, vale a pena assistir!

– Boyhood
– Bling Ring: a gangue de Hollywood
– O que nós fizemos em nosso feriado
– Na natureza selvagem
– Juno
– Casa Grande

– Que horas ela volta
– Beira-mar
– O doador de memórias
– A culpa é das estrelas
– Divergente
– Ponto Zero
– Precisamos falar sobre o Kevin
– Quem somos nós?
– Home: Terra, nosso planeta, nosso lar (do francês Yan Arthus-Bertrand)
– Human: a complexa aventura de ser humano (de Yan Arthus-Bertrand)
– A profecia Celestina
– O pequeno príncipe
– A árvore da vida
– Little Boy
– Ser e vir a ser
– A educação proibida (do jovem argentino Matías De Stefano)
– Eu maior
– Indigo evolution
– Born to learn

Ensinando seus pais

Jeshua*, através de Pamela Kribbe*

Queridos amigos, eu sou Jeshua e estou aqui com vocês, invisível aos seus olhos físicos, porque chego a partir de um espaço interno, diretamente do coração. Sintam a minha presença.

Saúdo cada um de vocês individualmente. Sinta minha energia mover-se por esta sala. Sinta meu abraço, ao mesmo tempo em que recebo o seu. Nós somos amigos, somos como raízes da mesma árvore. Nosso objetivo em comum é nos enraizarmos profundamente na Terra, de modo a criarmos uma árvore mais bonita e forte que fornecerá abrigo e sombra para outros.

Estou aqui como um amigo e irmão, não como um professor. Não quero mais ser esse professor, porque agora é hora de você se levantar e ser você mesmo um professor. Esta é a sua missão nesta vida. Sei que esta missão pode lhe trazer dor e solidão às vezes, mas quando a realizar, quando se tornar um professor nesta nova era, isto lhe dará uma profunda satisfação e fará com que sua jornada na Terra esteja verdadeiramente completa. Você mesmo será como uma grande árvore, enraizada na Terra e alcançando o Céu.

Talvez note que nesta imagem da árvore você está sozinho. Por ser uma árvore tão grande, você precisa de bastante espaço. Isto é algo que será preciso aprender e aceitar nesta vida – que você está na Terra para ajudar a trazer uma nova energia e, por isso, muitas vezes caminhará num ritmo e caminho diferentes dos da sociedade. Você está criando novos caminhos, então precisa criar espaço para sua própria árvore crescer, e enfrentará atritos e resistências no cumprimento de sua missão.

Voltemos à sua infância. Sinta novamente a beleza e a pureza da sua alma entrando nesta vida. Sua alma fundiu-se com um novo corpo. Ela deu um salto no escuro e desconhecido. É preciso compreender que sua alma não é um ser perfeito e acabado. A cada salto para uma nova vida, ela assume riscos. Sua alma é uma realidade aberta e dinâmica; ela deseja explorar novos territórios em cada encarnação. E o nascimento de uma nova criança é esse milagre manifestando-se. Mas como cada criança traz algo novo em seu interior, ela não será plenamente compreendida por seus pais ou família instintivamente; seus pais tentarão fazê-la se adaptar à visão que eles mesmos têm do mundo.

Tornar-se pai ou mãe geralmente dá uma sensação de responsabilidade misturada com medo e preocupação. Quando uma pessoa tem filhos, seus próprios mecanismos psicológicos de sobrevivência vêm à tona. Num certo sentido, suas partes mais sombrias – quero dizer, suas partes mais inconscientes – vêm à tona ao criar seus filhos. Isso não é feito de propósito, mas inconscientemente. Os pais geralmente forçam a criança a se enquadrar numa estrutura que eles consideram correta e segura, e a criança pode se sentir perdida dentro dessa estrutura. No entanto, em algum nível, nas profundezas do seu ser, a criança se lembra: "Isto não sou eu". Mas, até que ela consiga compreender o pleno significado dessa lembrança, ela precisa desapegar-se da estrutura dos pais, de modo a se libertar dela, e nesse processo a criança vivencia emoções profundas de alienação, solidão e desespero.

Num certo sentido, este é o destino de todas as crianças humanas. Portanto, peço-lhe que respeite profundamente o salto para a vida que a sua alma deu. Ela estava consciente do risco envolvido, o risco de você se tornar emocionalmente perdido e alheio à sua alma. Quando olhar para uma criança, você poderá ver um ser inocente e brincalhão, mas esteja ciente da jornada profunda e muitas vezes difícil que ela está empreendendo. Você mesmo já foi criança, então lhe peço que se conecte agora com essa criança que ainda está viva dentro de você.

Peço-lhe que se conecte consigo mesmo quando tinha mais ou menos doze anos de idade, prestes a se tornar adolescente e um ser independente. Simplesmente deixe que uma imagem da sua criança interior lhe venha à mente, não precisa lembrar-se exatamente o que estava acontecendo naquela época. A criança que você está vendo e sentindo agora não é mais nova e inocente. Ela já absorveu as emoções e os medos da sua família, assim como suas ambições. Tente não sentir nem ver como isso o afetou como criança. Simbolicamente, você pode ver isso como uma espécie de pacote que essa criança carrega nas costas, então sinta o peso desse pacote.

Para se libertar desse pacote, uma das grandes dificuldades que a criança em crescimento enfrenta é que ela ama seus pais e sente uma profunda lealdade por eles. Toda criança deseja ajudar a curar seus pais, e assim tenta carregar as cargas deles por eles. Abrace essa criança e diga-lhe que ela agora pode soltar esse fardo, esse pacote. Grande parte da energia pesada carregada pela criança não é sua própria energia; esse pacote está cheio de medo, ansiedade, preocupação e negatividade que vem da energia da família. A coisa mais importante para essa criança e para você é compreender que, ao abandonar esse pacote, você se torna o verdadeiro professor e curador da sua família e de seus pais. Ao fazer isso, você se liberta das estruturas limitadoras que ainda os dominam e, assim, lhes ensina, pelo exemplo, como eles mesmos podem liberá-las.

Para isso, você precisa distinguir entre lealdade verdadeira e falsa. A falsa lealdade ocorre quando você age a partir da culpa, da vergonha, do medo. É preciso lembrar que sua família quer mantê-lo dentro do seu círculo de influência. Existe uma necessidade inconsciente, instintiva, de fazer isso, porque seus pais precisam que você seja "um deles". Existe uma espécie de possessividade na paternidade, muitas vezes nascida do medo, que gera um sentido falso de lealdade por parte da criança. Você precisa se libertar desse tipo de lealdade, e quando o fizer, poderá então desenvolver o sentido verdadeiro de lealdade para com seus pais e familiares, a partir do nível da sua alma.

A verdadeira lealdade significa liberar-se das estruturas limitadoras da mentalidade da família. Muitas vezes, essas estruturas limitadoras vêm de várias gerações e é preciso muita coragem e clareza de espírito para se desconectar delas. Por favor, observe que você não se desconecta delas quando fica irritado e aborrecido com sua família. É normal ficar irritado e aborrecido temporariamente, mas é preciso compreender que, quando está nesse estado emocional, você ainda não está livre das energias da sua família de nascimento. Você só estará livre se for capaz de acolher a si mesmo como um ser independente, e olhar para sua família a partir do nível da sua alma. Se conseguir se elevar ao nível da sua alma e observar com um olhar de compaixão, você liberará a raiva ou medo e adquirirá uma distância emocional da sua família de nascimento. Paradoxalmente, o espaço que então se abre permitirá que você os ame de uma forma muito mais independente e verdadeiramente leal.

Gostaria de enfatizar que o amor da alma não é um amor emocional. Ao entrar em contato com sua família de origem a partir do nível da alma, você pode perceber que existe uma distância entre vocês que não pode ser transposta com facilidade. Mas não mais se aborrece com isso, você aceita esse fato porque está realmente se desapegando. Você pode honrar e respeitar seus pais biológicos e, ao mesmo tempo, manter limites muito claros no que diz respeito a eles. Este é o caminho que muitos Trabalhadores da Luz devem seguir.

Ensinando seus pais

Convido-o agora a olhar para a criança de doze anos no seu interior, quando ela já se libertou do pacote. Agora que o pacote se foi, como esse jovem, que é você, se sente? Você sente alívio ou uma sensação de alegria? Você está voltando para casa, para si mesmo!

Convido-o, ainda como essa criança de doze anos, a ver um guia vindo em sua direção. O guia que se aproxima é mais velho do que você e está tomando sua mão. Este guia representa um parente espiritual para você, e sua energia é muito diferente da estrutura limitadora da sua família de origem.

Sinta como esse guia lhe dá as boas-vindas. Esse guia reconhece a nova energia que está no seu interior e que você deseja trazer para a Terra. Ele quer convidá-lo a expressar a energia da sua alma. Sinta a energia e o apoio desse guia, que é uma parte da sua família espiritual, sua família de alma. Este guia está encorajando-o a fazer algo específico com a sua vida. O que está desejando se expressar e ser vivenciado por você neste momento? A energia exclusiva da sua alma é necessária aqui na Terra. Cada nova geração está destinada a trazer um novo tipo de consciência.

Orientação aos pais de filhos das novas gerações

Gostaria de encerrar dizendo algumas palavras sobre a geração mais nova que está agora na Terra. Todos estão vendo uma nova geração de crianças que já está com um pé na nova energia do coração. Geralmente, elas nascem de pais conscientes e observadores, mas esses pais talvez ainda não saibam como lidar com a nova energia e sensibilidade dessas crianças, que não se encaixam nos remanescentes das velhas estruturas. Você é um daqueles que se abriu e derrubou as velhas estruturas, mas as novas crianças muitas vezes estão totalmente fora dessas estruturas e isso cria problemas nas áreas tradicionais, como escola e trabalho.

O conselho mais importante que eu gostaria de oferecer aos pais nesta era é que ouçam a alma de seus filhos. Vocês podem notar que eles se comportam de modo estranho ou não se adaptam bem a ambientes altamente estruturados; eles geralmente são autoconscientes e intuitivos e sabem o que querem, mesmo que não consigam expressá-lo em palavras. Olhem através e além de seu comportamento estranho ou "mau" e conectem-se com eles no nível de suas almas, onde vocês são iguais, e onde eles podem ser seus professores em vez de seus alunos. Em suas mentes e corações, eles carregam uma chama de luz, um novo tipo de energia, e precisam da ajuda de vocês para serem capazes de canalizar essa energia para a sociedade humana. Eles precisam que vocês os ajudem a expressar e manifestar sua energia exclusiva na Terra, de maneiras novas e flexíveis. O verdadeiro significado da paternidade é preservar da tradição o que é bom e sábio, e ao mesmo tempo estar plenamente aberto a algo totalmente novo, para se abrir à sabedoria da alma de seus filhos, pois estes podem estar espiritualmente à frente de vocês.

A importância da desobediência

Homenagem à jovem Laura, que partiu tão cedo...

Não, você não leu errado! Ensinar a criança a desobedecer é tão importante quanto colocar limites na sua educação.

Como assim? Antes de explicar, vou contar uma historinha.

Hoje de manhã, enquanto caminhava por um parque, vi um menino correndo livremente, próximo à mãe, em um gramado, com uma sombra deliciosa, sem qualquer indício de perigo por perto. Ambos pareciam muito felizes! Ao ver a cena, só pude abrir um sorriso bem largo – daqueles de orelha a orelha. A mãe sorriu-me de volta e falou com uma voz bem aflita, como se me devesse alguma explicação: "Eu já falei para ele parar de correr, mas ele não me obedece!".

O menino olhou para a mãe com aquele olhar de quem está fazendo algo muito divertido, e ela não se conteve: "Acho que aqui não machuca se cair. Pode correr, vai...". E o menino voltou para a gostosa atividade, mas dessa vez com o incentivo da mãe, e esta com a suposta autorização de uma desconhecida – eu!

Passei o caminho todo pensando na cena, na justificativa da mulher, na colocação de um limite tão contraditório à vontade dos dois, e comecei a refletir sobre a desobediência.

Muitas mães, amigas, professoras me pedem dicas, simpatias e até rezas no intuito de conquistar a obediência das crianças. Quando as escuto falar sobre obediência, uma luzinha vermelha se acende e começa a girar em minha cabeça, pois por detrás dessa palavrinha, que soa tão inofensiva, se esconde um grande perigo!

Primeiramente, vamos pensar no significado dela:

Desobediência. *s.f.* Ação de quem obedece, de quem é submisso, dócil. Disposição para obedecer. Ato pelo qual alguém se conforma com ordens recebidas. Autoridade, mando, domínio.

Obediência é sinônimo de: dependência, submissão, subordinação, sujeição.

Forte, não é mesmo? No final da conversa, quase sempre chegamos à conclusão de que a busca é por respeito e que isso só acontecerá se o outro lado for respeitado também. É uma via de mão dupla.

Para respeitarmos, precisamos ter empatia e o discernimento de que o outro tem vontade própria e que não tem a obrigação de suprir as expectativas de quem quer que seja. Somando-se a isso, necessitamos compreender que existem habilidades a ser exploradas, talentos a ser lapidados e um desejo que vem do coração, o qual aguarda pacientemente o momento certo para tomar as rédeas nas escolhas da vida.

Quando a obediência vira um elo nas relações, quem obedece começa a se sentir castrado, podado, limitado e passa a agir segundo o interesse de quem exerce a autoridade. Com o passar do tempo, esse padrão de relação se torna normal. Quem obedecia reproduz o modelo recebido em suas relações futuras, perpetuando esse ciclo nada saudável. E por que não é saudável? Porque ele nos torna sombras de outras pessoas, de outros desejos, de outros interesses, nos impede de sermos nós mesmos, de seguirmos nossas vontades, de realizarmos com prazer nossas escolhas e nossas funções. As decisões passam a ser tomadas a partir do olhar do outro.

E sabe o pior? Essa relação que iniciamos em casa é validada nas escolas com seus métodos de ensino. Ensino – palavra que também carrega o fardo da obediência, pois sugere uma via de mão única, não condizente com a definição de respeito que deveríamos alimentar.

Por isso, precisamos aprender a desobedecer o mais urgentemente possível!

As pessoas mais criativas e que surpreendem nesse mundo são as que aprenderam que é preciso desobedecer. Quando aprendemos a desobedecer, (re)descobrimos o prazer da vida, aquela felicidade genuína da infância, e passamos a obedecer (aí sim) a nós mesmos, ao nosso coração.

Quantos adolescentes não escolhem suas profissões embasados pela questão financeira ou para agradarem suas famílias? Não aprenderam a desobedecer! Quantas pessoas se contentam com uma vida mais ou menos e adiam seus sonhos, seus planos à espera de um momento ideal para colocá-los em prática? Só sei que são muitas. Não aprenderam a desobedecer também. A lista é grande. Não vou me estender.

Sabe, menino do parque, esse mesmo mundo que hoje ordena que você não corra, um dia lhe cobrará o contrário. Pedirá, ferozmente, para que sua caminhada seja veloz, pois você estará atrasado para reuniões, cheio de prazos e metas para cumprir, compromissos sérios inadiáveis, festas tradicionais de família, entre uma porção de coisas que anulam suas vontades. Por isso, tome cuidado! Leve com você esse sorriso que traduz seu desejo e que conquista e contamina o outro. Saiba dizer não, gentilmente, mas diga não! Respeite a você primeiramente, para que aprenda a respeitar as pessoas de seu convívio e entender suas verdadeiras essências, tão escondidas, tão sufocadas por máscaras e defesas. Que você e sua mãe sejam muito felizes e que ela compreenda que não precisa se justificar para alguém.

Quanto mais permitimos que o outro siga sua própria vontade e criamos um ambiente de condições favoráveis e saudáveis para que isso ocorra, mais respeito conquistamos nessa relação e, de *lambuja*, contribuímos para quebrar esse ciclo autoritário, competitivo e dominador que impera em nosso contexto social.

Pode parecer utópico, exagerado, mas prefiro chamar de atitude corajosa. É de extrema coragem lutar pela nossa felicidade neste mundo que predetermina nossas ações!

Quem anda no trilho é trem de ferro.
Sou água que corre entre pedras – liberdade caça jeito.
Manoel de Barros

Escolhas

Tenho refletido muito sobre esse tema. Considero que nosso maior desafio na existência terrena seja expandir nossa consciência. A consciência, em seu processo de expansão, nos leva a acessar novas e mais novas realidades, situadas em dimensões cada vez mais elevadas. Eis aqui o X da questão: diante de realidades novas e paralelas, somos, cada vez mais, exigidos quanto ao exercício do principal atributo da consciência, a liberdade, ou seja, o livre-arbítrio, que é também uma lei reguladora aqui no planeta Terra. À medida que o processo de ascensão humana e planetária se acelera e temos condições de vida mutantes a cada novo dia

(!), tais como aceleração do tempo, clima sem estações definidas, "doenças" e sintomas estranhos que não podem ser diagnosticados, mortes súbitas incompreensíveis, crianças pequenas, mesmo bebês, dizendo e fazendo coisas impactantes, que escapam à compreensão dos mais desavisados, fenômenos como sons e tremores assustadores que ninguém explica e em lugares onde nunca houve terremotos, impressionante número de pessoas (de todas as idades!) decidindo dar fim à própria vida de repente, crianças e jovens talentosíssimos se multiplicando em todas as partes do mundo e nos encantando e assombrando... enquanto guerras inaceitáveis por motivos torpes e puramente ligados ao exercício do poder estão se multiplicando em diferentes partes do globo... e as distâncias são cada dia mais evidentes entre ricos e pobres, entre obesidade e desnutrição, justiça e injustiça, mentira e verdade, sombra e luz! Eis o mundo em que estamos vivendo... Como fazer escolhas mais conscientes, lúcidas no sentido de orientadas pela Luz?! É preciso, no mínimo, dedicar tempo de qualidade para refletir, examinar nossas escolhas diárias, que são exemplo para todos com quem convivemos e com quem nos encontramos, mesmo que por breves segundos, em nosso dia a dia. Se não paramos, dificilmente pensamos e, se não pensamos, agimos levados pelo automatismo, pela alienação, baseados em crenças e hábitos antigos, que nem sempre são bons ou mesmo adequados ao momento, à situação, ao contexto... Precisamos parar e pensar, examinar nosso hábitos, nossos gestos, por mínimos que sejam, nossas atitudes, e veremos que sempre podemos mudar um pouco, aperfeiçoar nosso modo de viver e de conviver. Tem um ditado antigo que diz: "Se paro, penso; se penso, choro". Ele se refere às escolhas que reiteradamente a humanidade tem feito, revela o que está ainda hoje, em nosso inconsciente coletivo: que é melhor não pensar e agir guiado pelo piloto automático, porque se pararmos e pensarmos vai doer, a gente vai sofrer, e não queremos a dor! Somos uma sociedade que foge desesperadamente da dor, especialmente da dor de pensar. Pensar adquiriu conotação negativa e, para muitos, virou alvo de piada, gente que não gosta de "papo-cabeça" e desdenha de quem gosta e pratica esse exercício com prazer! Vivemos uma época em que as polaridades da vida em um planeta caracterizado pela dualidade estão mostrando o seu ápice e os efeitos disso podemos assistir, em abundância, nas ruas, nas escolas, nas famílias, nas empresas, nos governos e nos movimentos sociais. Todos se esforçando muito para não enlouquecer, para se manter "no meio" ou "no seu prumo", como costumo dizer, mas sentindo, cada vez mais, dificuldade em se manter na zona de um equilíbrio estável. O que sinto e pressinto é que esse desafio irá se intensificar nos próximos meses e anos. Segue, mais e mais intensa, aquela "Força/Energia" que nos pressiona a aprender as lições e ir em frente. Eis que ela nos diz e demonstra, sem clemência, que ou aprenderemos pela dor ou aprenderemos pelo amor. O amor é o caminho da consciência e da liberdade de escolha mais fluído, sem dor. O outro caminho é aquele que nos fará pensar mesmo sem querer e nos fará escolher sem direito a voto, porque a escolha já foi feita... Escolhas são sempre uma oportunidade nova de fazer diferente e de fazer a diferença pelo menos para alguém ou para alguns... Como andam suas escolhas?

Ingrid Cañete

Outros depoimentos

Gislaine

(Nova Era/MG)

Quando era pequena, sempre fui mais curiosa que o normal. Sempre fui boa aluna, daquelas que não davam trabalho e também não tinham coragem de perguntar ao professor quando tinham alguma dúvida. Perguntava aos colegas ou à minha mãe, mas também não ficava com a dúvida. Quando tinha 11, 12 anos, apresentava alguns desmaios, dormência nas mãos, dores de cabeça insuportáveis. Uma preocupação excessiva com as atividades escolares, apesar de sempre ser uma das melhores alunas da escola. Aprendi que deveria estudar em voz alta, senão lia, lia e não entendia nada. Não sei exatamente qual o diagnóstico, mas fiz vários eletroencefalogramas e acabei por tomar Gardenal por uns dois anos. Até meus 17, 18 anos, queria chegar rápido aos 70, para morrer logo, para acabar com a minha experiência de vida na Terra.

A partir dessa época, tive consciência de que sempre fui diferente. As pessoas até hoje me percebem como uma pessoa forte, corajosa, bem-sucedida pessoal e profissionalmente, mas nunca me senti assim. Pelo contrário, sempre tive a impressão de que tinha um elástico amarrado na minha cintura e que caminhava, como sempre caminhei, lado a lado com as outras pessoas, mas devido a esse elástico o esforço que eu precisava fazer era muito maior, o que nunca me impediu de tomar atitudes corajosas e enfrentar as diversas situações.

Sempre contive minhas palavras, meus gestos, vigiando meu comportamento, com medo do que as outras pessoas iriam pensar de mim. Só consegui melhorar a partir dos 20 e poucos anos, quando, já casada e mãe de um menino, com um emprego estável em um grande banco, voltei a estudar. Fiz graduação na modalidade semipresencial e só a partir daí consegui me expressar, uma vez que não ficava frente a frente com meu interlocutor, apenas com a tela do computador.

Hoje, com 35 anos, já sou outra pessoa, muito devido às exigências profissionais, que sempre me "puxam" para frente e não me permitem estacionar com meus medos. Atribuo a isso também minha preocupação com o bem-estar da minha família, que é mais um motivador para o meu autoconhecimento. Afinal, como vou entender meu marido e meus filhos se não conseguia entender a mim mesma?

Ana Raquel, 20 anos

(Recife/PE)

Quando criança, eu também fui diagnosticada com problemas temperamentais! Quando um assunto na escola não me chamava a atenção, eu simplesmente criava problemas com meus professores, pois me retirava da sala e ficava de fora, escrevendo pensamentos. Na verdade, nunca nem estudei para as provas e tirava sempre 10 nas matérias que eu me interessava, não aprendo na pressão! Eu me recuso! E sempre fui muito problemática pra fazer amizades, pois sempre dizia verdades que as pessoas não queriam ouvir, sempre me afastei de pessoas que tramavam fazer o mal a outras, que se achavam melhores e que ficavam em rodas de fofocas, isso me causava pânico, ira, até brigas mesmo. Porém, minhas raivas são momentâneas. Isso nas pessoas me causava uma dor de cabeça intensa, e ainda causa ouvir pessoas tramando o mal para outras, e eu querer me meter em situações que não eram minhas, eu tinha que me retirar, saía até com náuseas e com o rosto muito quente, mais uma sensação de total desequilíbrio, então, molhava o rosto, respirava e voltava.

Eu nunca tive medo da pressão de minha família sobre a escola e sobre o fato de eu fugir das aulas, isso mesmo eu já dizia em casa! Até porque também fui criada pela minha avó, que nunca me amansou, mas também nunca me aceitou do jeito que eu sou, porque ela ainda me acha um absurdo, pelo fato de ela ter uma tradição de religião e igreja etc., e eu de acompanhá-la, mas detestar a forma com que eles usam salvação, inferno e céu, quem vai ou quem não vai, aquilo me deixava amargamente enfurecida! Desde de muito cedo, minha avó conta que eu nunca aceitei que ninguém me ensinasse nada, eu já ia pra escola desde os 3 anos de idade, na minha bicicleta. Ela me acompanhava escondida, para que eu não soubesse que ela ia, porque eu queria ir sozinha. Nunca, desde que aprendi, deixei que ela colocasse minha roupa ou me banhasse, eu fazia tudo isso sozinha. Eu mesma plantava no quintal o que queria comer, e nunca rejeitei nenhum tipo de vegetal, legumes e verduras. Sempre me interessou a riqueza que os alimentos têm, eu só queria viver à base disso e sempre que comia ou como carne, me sinto mal, durmo muito mal e fico pesada, irritada.

Márcia

Eu me sinto uma pessoa diferente, apesar de ser comunicativa, a introspecção sempre fez parte de mim. Desde criança, tinha um olhar diferenciado sobre os acontecimentos e pessoas, também sempre tive uma sensibilidade em captar energias que muitas vezes me causavam (e causam) medo; a hora de dormir sempre foi complicada, sonhos intensos e imediatos e a sensação do que hoje entendo como desdobramento. Eu também tenho a sensação de simplesmente saber algumas coisas, como se algo soprasse no meu ouvido, isso acontece com frequência, também não tive uma boa relação na escola, não me adaptava ao método, diferentemente da faculdade de psicologia, em que era destacada como uma das melhores alunas. Minhas amigas mais próximas me chamam de "bruxinha" justamente pela minha percepção e intuição. Sempre tive medo dessa minha capacidade e me escondia. Hoje em dia, a partir de meus diálogos internos e de minhas experiências, tenho me relacionado melhor com esse dom e a busca por entender a minha missão nesta vida está muito forte!

Hoje, enquanto lia o seu livro Adultos Índigo, *fui interrompida por uma ligação que frustrou uma expectativa; ao desligar o telefone, pensei: "Não vou me desesperar, confio em Deus!". E resolvi retornar a leitura de onde parei, e para minha surpresa, na página 86, recomecei lendo: "Mas os Índigos que, como Lorena, por exemplo, conseguem manter o equilíbrio e encontrar clareza com discernimento e bom senso, certamente estão hoje aí, firmes e prontos para dar novos passos na direção da missão que têm aqui nesta existência (...)". Fiquei emocionada e resolvi dividir essa experiência com você.*

Cynara

Estou terminando de ler seu livro: Adultos Índigo.

É tão interessante como as coisas acontecem! Sou de uma família católica praticante! O cruzamento da minha vida com a de outras pessoas me levou a conhecer o espiritismo. E, em um dia qualquer de trabalho, um colega me questionou: Você já ouviu falar de crianças Índigo, Cristal e Violeta?

Nem imaginava o que poderia ser... Até que pesquisei em alguns sites e descobri. Me deu até um pouco de esperança. Sempre falei que o problema do mundo é o ser humano. Mas aí vi que talvez ele também seja a solução!

Comentei com minha irmã sobre o assunto e, em uma viagem, ela me trouxe seu livro de presente! Sei que não sou Índigo, pois nunca fui agitada ou hiperativa, nem tive dificuldades na escola! Mas eu li um relato de uma adulta Índigo que dizia ser difícil viver aqui...

Eu me sinto um tanto assim, como se não me encaixasse, e isso me desanima muito! Já passei por três empregos públicos e nenhum me fez/faz feliz!

É como se eu quisesse fazer algo a mais pelo mundo e não apenas passar pela vida, estudar, trabalhar, casar, ter filhos e morrer! Que sentido haveria minha passagem pela terra? Gostei muito do livro.... Não sei se foi por acaso que cheguei até ele ou se era para eu conhecer e saber mais sobre o assunto! Bom... ***Vocês me dão esperança de ver um mundo melhor, mais tolerante (como falta essa virtude no mundo), com menos preconceitos e mais igualdade!***

Referências bibliográficas

Cartas de Cristo – A Consciência Crística manifestada, Almenara Editorial, Curitiba, 2012.

Cartas de Cristo – Textos complementares, Almenara Editorial, Curitiba, 2014.

CAÑETE, Ingrid. **Crianças Cristal, a transformação do ser humano**, quarta edição, BesouroLux, Porto Alegre, 2015.

CARROL, Lee e T OBER, Jan. **As Crianças Índigo dez anos depois – O que está a acontecer aos adolescentes Índigo?** Editora Estrelapolar, Portugal, 2009.

CLERGET, Stéphane. **Adolescência, a crise necessária**, Editora Rocco, Rio de Janeiro, 2004.

DUBRO, Phoenix Peggy e LAPIERRE, P. David. **Entramados de Conciencia – Evolucion Multidimensional**, Ediciones Vesica Piscis, Espanha, 2006.

FERGUSON, Marilyn. **A conspiração aquariana**, Editora Record/Nova Era, Rio de Janeiro, 1992.

GUEDES, Rosa Sérgio Paulo. **O sentimento de culpa**, Edição do autor (terceira), revista e ampliada, Porto Alegre, 2012.

HESSE, Hermann. **Demian**, Editora Record, 46ª edição, Rio de Janeiro, 2015.

HUBBARD, Marx Bárbara. **A Revelação – Uma mensagem de esperança para o novo milênio**, Editora Fundação Petrópolis, São Paulo, 1997.

KRYON. **As doze camadas de ADN – Um estudo esotérico da Maestria Interna**, Livro 12, Espanha, Editora Vesica Piscis, 2012.

MORENO, Piedrafita Manuel José. **Niños Índigo – educar en la nueva vibración**, Espanha, Editora Vesica Piscis, 2001.

PAYMAL, Noemi. **Pedagogia 3000 fácil – Treze passos simples,** Livro 1, segunda edição, Editorial Ox-La-Hum, São Paulo, 2010.

PEBORGH, Van Ernest. **Redes – O despertar da consciência planetária**, DVS Editora, São Paulo, 2013.

ROTH, Veronica. **Divergente**, Editora Rocco Jovens leitores, Rio de Janeiro, 2012.

RUIZ, Miguel Don. **Os quatro compromissos – O livro da filosofia tolteca**, Editora Best Seller, 16ª edição, Rio de Janeiro, 1997.

SALDANHA, Vera. **A psicoterapia transpessoal**, Editora Rosa dos Tempos, Rio de Janeiro, 1999.

SAVATER, Fernando. **Ética para Amador**, Editora Ariel, Espanha, 1991.

SINAY, Sérgio. **A sociedade dos filhos órfãos**, Editora Best Seller, Rio de Janeiro, 2012.

Adultos Índigo

Ingrid Cañete / 256 páginas / 16x23

Quem são os Adultos Índigo? Qual o propósito dessas novas almas? Pessoas que se descobriram Índigo sabem que nem sempre é fácil lidar com essa condição que provoca profundas mudanças que ocorrem a nível psíquico, mental e emocional, assim como mudanças fisiológicas. A natureza dessas mudanças pode, às vezes, ser muito estressante. Esta obra é um importante referencial para essas pessoas saberem lidar com suas origens e propósitos de alma, que é o retorno da Consciência Crística para o nosso mundo. novas identidades espirituais.

Crianças Índigo

Ingrid Cañete / 208 páginas / 16x23

A partir da década de 1980, elas começaram a chegar, mais e mais. De todas as cores, de todas as formas, em todos os lugares do mundo, em todas as classes sociais: As CRIANÇAS ÍNDIGO. Crianças diferenciadas na maneira de agir, de pensar e de ver nosso mundo, preparadas para ajudarem na transformação social, educacional, familiar e espiritual do nosso planeta.

Crianças Cristal
Ingrid Cañete / 280 páginas / 16x23

Cristal é o nome dado às almas avançadas que vêm para a encarnação a fim de transmutar a feiura em beleza. Elas reconhecem sua própria divindade e demonstram as qualidades de um novo ser. O termo "novo ser" indica que existe uma diferença, ou seja, há uma mudança de um estado competitivo para um estado de cooperação.

Uma Janela Para os Pais
Ingrid Cañete / 232 páginas / 16x23

Um belo e imprescindível livro para pais e mães de hoje e de amanhã, uma rara ferramenta de auxílio na educação e compreensão das crianças de agora. Ingrid Cañete, autora de Crianças Cristal, Adultos Índigo e Uma Janela para os Pais, nos traz importantes esclarecimentos e orientações a respeito das diferentes características e necessidades das novas gerações.